DIGRI
CYMRU

HOFF
GERDDI DIGRI
CYMRU

Golygwyd gan
BETHAN MAIR

Gomer

Cyhoeddwyd yn 2006 gan
Wasg Gomer, Llandysul, Ceredigion SA44 4JL
www.gomer.co.uk

ISBN 1 84323 761 X
ISBN-13 9781843237617

Dymuna'r cyhoeddwyr gydnabod cymorth
Adrannau Cyngor Llyfrau Cymru.

Argraffwyd a rhwymwyd yng Nghymru gan
Wasg Gomer, Llandysul, Ceredigion

CYNNWYS

Cydnabyddiaeth

Hoffai Gwasg Gomer ddiolch o galon i'r beirdd, y cyhoeddwyr a'r perchenogion hawlfraint a roddodd eu caniatâd i atgynhyrchu cerddi yn y gyfrol hon. Gellir cael manylion llawn am hawlfreintiau'r cerddi trwy gysylltu â Bethan Mair yng Ngwasg Gomer – bethan@gomer.co.uk

Os tramgwyddwyd ar hawl unrhyw un, yn anfwriadol y gwnaed hynny, ac ymddiheurir am ein bai. Ni lwyddwyd i ganfod perchennog hawl rhai o'r geiriau, ond croesewir unrhyw wybodaeth berthnasol.

Y DIWRNOD CYNTAF

Y diwrnod cyntaf hwnnw,
os nag dwi'n gwneud mistêc,
mi greodd Duw oleuni *— light*
ac wedyn cym'rodd frêc.

Ni chreodd ddim byd arall
ar y diwrnod cynta rioed;
dim chwyn nac anifeiliaid,
na dŵr na sêr na choed.

Ocê, fe wnaeth oleuni,
ond pwy oedd yma i'w weld?
Neb; ac felly dyma Duw'n
ei roi mewn jar ar seld.

Ac eistedd 'nôl wnaeth wedyn
i edmygu'i champwaith gwiw; *(the masterpiece)*
roedd creu goleuni'n eitha camp,- *feat*
roedd wedi blino − ffiw.

Fe wyddai y byddai fory *He knew it would be tomorrow*
yn ailafael yn y creu,
ond am heno fe gâi orffwys,
felly aeth 'nôl at ei gweu.

GERAINT LØVGREEN

1

SEFYLL 'ROWN

Sefyll rown ar fryn yn Arberth,
Ar fy nghefn roedd cwrwgl anferth,
Yn fy nhin yr oedd cenhinen,
A thelyn am fy ngwddw'n hongian.

Roedd fy ngwallt yn ymgordeddu,
Yn fy nhrwyn yr oedd llwy garu,
Am fy mhen roedd het fawr ddu,
Ac roedd fy llais yn ddyfn a chry'.

Cenais yr Eos a'r Glân Hedydd,
A'r Deryn Du sy'n Rhodio'r Gwledydd,
Pry Bach Bach, a'r Hen Ferchetan
Oll dan ddawnsio dawns y glocsan.

Ac wele'n ara' deg o'r dyfnjwn,
Ac i fyny i'r bryn lle'r oeddwn,
Hen hen hen ŵr efo ffon,
A meddai hwn: *You Spanish, John?*

TWM MORYS

2

YN NYDDIAU

Yn nyddiau'r Mabinogi,
   Doedd neb yn gollwng gwynt;
Byd henffych a hawddamor
   A orug iddaw gynt.

Dynion yn lladd ei gilydd
   Gan fethu ambell waith,
Tarianau a chleddyfau
   A thragwyddoldeb maith.

Dynion yn bod yn dduwiau
   Ond nid yn dduwiau da,
Yn ddewr fel restlars haerllug
   Yn cwyno am drahâ.

A'r merched fel prinsésus
   Yn gwybod beth oedd be'
Gan siglo eu trysorau
   Yn flewog ar hyd y lle.

Dim lle i bwyllgor cyllid
   Ar unrhyw gyngor sir,
Na chyngor celfyddydau
   Na radio, a dweud y gwir.

Yn nyddiau'r Mabinogi
   Doedd neb yn bod yn giwt
Na neb yn mynd i'r capel
   Gan wisgo'r unig siwt.

A neb yn mynd i'r pictiwrs
   I weld y doniau da:
Clint Eastwood a Liz Taylor
   A honno heb ddim bra.

Yn nyddiau'r Mabinogi
  Mi fyddai'n niwl o fyd
Rhwng Cymru ac Iwerddon
  Ac yn y byd i gyd.

Ond dyna sy'n rhyfeddod
  Wrth gofio'r oesoedd gynt;
Yn nyddiau'r Mabinogi
  Doedd neb yn gollwng gwynt.

T. GLYNNE DAVIES

4

YN SEDD GEFN Y PLAZA

Dim ond cnec fach ddiniwed a wnes i,
A na, y mae Martha 'di mynd.
Diflannodd fel Scarlett O'Hara,
Ac mae'r cyfle yn 'gone with the wind'.

DYLAN JONES

GORFWYTA

Wedi'r cnau, a'r ffrwythau ffres,
a gwin i gadw'n gynnes,
a'r stwffin, a'r holl ginio
a phys a ffa gydag o,
a'r siocled, a'r bisgedi
a rôls, a minspeis di-ri ...
Mewn toilet, yn blèt, gŵr blin
ei natur wyf ers meitin
yn dirwyn ers rhyw deirawr
i ryddhau fy mhoenau mawr.
Yn ffodus, mae'n ddiffwdan
i yrru'r peth lawr y pan.

DAI REES DAVIES

6

IECHYD DA

O'dd Wili yn Hypocondriac,
O'dd Wili bob dydd yn sâl;
Doedd Wili byth yn hapus
Os nag o'dd e'n teimlo'n wael.
Roedd e'n diodde o rhyw glefyd
A hynny yn ddi-ball,
Pan welle fe o un peth
O'dd e mewn ynghanol llall!
Roedd e wedi diodde pob salwch
Y gallwch chi feddwl amdano,
A dioddefodd hefyd o ddau neu dri
Sydd hyd yma heb gael eu hinfento.
O'dd e'n cael annwyd bob bore wrth godi
A *migraine* bob hanner dydd –
Erbyn swper o'dd e'n diodde o *ulcers*,
A hanner nos roedd e 'nghanol dolur rhydd;
Roedd e'n peswch am orie yn aml
Nes bydde 'i wyneb e'n troi yn reit las;
Ac o'dd werth i chi weld 'i *biles* e,
Ro'n nhw fel balŵns ac yn stico reit mas.
Roedd e wedi cael dros gant o opyreshons
Dros gyfnod o amser reit faith,
O'dd e rownd y flwyddyn mewn *stitches* –
Wel o'dd e'n cadw un syrjon mewn gwaith!
Roedd e'n galw yn syrjeri'r doctor
Bob dydd rhyw unwaith neu ddwy,
O'dd e byth ishe moddion na thablets,
Dim ond jyst tsheco bod e'n fyw.
A fel'na o'dd Wil yn syrfeifo –
Ro'dd hi'n rhyfedd fod e dal yn y byd –
Yn diodde ac achwyn bob amser
Ac yn dala rhyw glefyd o hyd:
Annwyd, bronceitus,
Gwddwg tost a niwmonia,

Gall stones a *gall bladder*
A cholic yn 'i fola;
Cerrig yn 'i arennau,
A dŵr yn 'i ben'lin,
Boils ar 'i ben ôl
A gowt ar 'i goese,
Thrombosis, fflibeitus,
Frech wen a'r frech goch,
Tennis elbow a *shingles*
Clamp o ddarwden ar 'i foch.
Fe gododd un diwrnod yn holliach
Heb deimlo cystal erioed –
Gath e ofan nes o'dd e'n crynu
Bod rhywbeth ofnadw yn bod!
Fe redodd lawr at y meddyg
A bu bron iddo farw o fraw,
Ond o'dd hynny yn ddigon naturiol
Achos roedd e'n dal 'i wynt yn 'i law.
'Wi'n teimlo'n ffantastic,' medde Wili,
'Ma' rhywbeth ofnadw yn bod.'
Ac medde'r hen ddoc yn grynedig,
'Wili Jones, mae'r diwedd wedi dod.
Mae'n amser mynd â'ch cownt mewn i'r offis,
Ewch adre a threfnwch ar frys,
Sdim point prynu calendar arall –
Sdim point i chi newid y'ch crys!'
Mae dwy flynedd erbyn hyn wedi paso
Ac ma' Wili yma o hyd,
Dyw e byth nawr yn achwyn
Ac mae'n ddigon llawen 'i fyd;
Ac os digwydd ichi 'i weld e
A chyfarch 'bore da',
Yr un fydd ei ymateb:
'O rwy'n diodde o iechyd reit dda!'

IFAN GRUFFYDD

8

Y CELWYDD

Yr oedd 'na ddwy ddafaden yn ffynnu ar fy nghlust:
Bu'r rhain bron peri damwain â chanlyniadau trist.
Boi'r ambiwlans a alwodd, gan ddweud, 'Dewch gyda fi.
Mae gwely yn Glangwili yn barod nawr i chi.'
Daeth nyrs y bore trannoeth, ac at fy ngwely ddôth,
Rhoes gerdyn ar y fframin yn dweud *Remove them both.*
Ro'dd 'co fanylion pellach, mwy addas wir i hwrdd –
Sôn am ryw offer llosgi, neu rewi'r pâr i ffwrdd.
Fy eillio ces lawr isod, yn boenus, do myn diawch,
Heb sebon na dim wablin a raser â dim hawch.
Daeth syrjon â'i brognosis. Medd, '*Goodness gracious me!*
Must be the will of Allah – an awful tragedy.'
Daeth fy ngweinidog wedyn, gan ddweud yn eitha syn,
'Salm gyntaf ddaw i'm meddwl ar yr achlysur hyn:
Ar lan afonydd dyfroedd, sdim dowt, ma' dyn yn byw,
Ei ffrwyth a rydd 'n y diwedd, a'r bywiol bren a wyw.'
Yn wyllt daeth clerc o'r swyddfa mewn pryd â'i gelwydd glân:
'Rhyw ddamwain â'r compiwters!' Wrth gwrs, yr un hen gân.
Â'm llaw ym mhoced trowsus es adre 'da bws saith,
Yn canmol fy mendithion, a'u cyfrif lawer gwaith.

ARWEL JONES

9

YMWELYDD

(Cerdd ddarganfod wrth warchod y claf)

Yn iach, mae'n dechrau'i sgwrs,
Meddyliwch, meddai,
Cymundeb mla'n a dau ddierth
Yn caru ar y galeri,
O'r golwg, wrth gwrs.
Wedodd rhai wedyn.
Meddyliwch – a chithe'n
paratoi'r bara a'r gwin Cymun –
Beth petasen nhw wedi'ch
Bwrw chi'n farw, ond dyna fe –
Lle neis i fynd, ontife – mewn capel,
A bydden i'n barod wedyn i'r angladd!
Meddyliwch amdanyn nhw'n ei mentro hi –
Y lle wastad ar agor 'da ni,
Ni, bobl capel yn lawer rhy dda
I'r siort 'na sy'n llawn drygioni.
Un o wyth o blant oedd e 'fyd,
Pob un â syrnâm gwahanol.
'Na fe, maen nhw'n iach –
Ddim fel Wil y Felin,
Ddim yn hanner da, druan.

Glywoch chi be' wedodd e?
Ddim yn clywed, chwel,
Cancer, medde'r doctor.
Ulcer? Oh, that's good.
A oedd y boi bach ifanc
ddim yn leico gweud yn ots.
Ie, iechyd, be wnelen ni hebddo?
Byddwch chi'n well 'to'n glou –
Er, ma' golwg golau leuad arnoch chi.

10

Dyna fe, rwy wedi galw nawr;
Ma' rhai'n rhoi e lawr ar bapur
Pwy sy 'di galw, pwy sy'n hala
Carden, dod â blode,
Ond ma' popeth yn ca'l aros
Yn y pen 'da fi, pwy eisie seians?
'Na fe, ddes i'ch gweld chi
A '*na* sy'n bwysig;
Ta pun, own i ddim
Yn gwybod beth i ddod,
Felly des i â'n hunan, tro hyn.
Cyn i'r Rihyrsals ddechre',
Pennau lan a phapur lawr
Fydd hi wedyn 'llwch chi fentro.

Be arall sy 'da fi i 'weud, cyn bo fi'n mynd?
O ie, aeth Sally miwn am *scraping*
A ma' *gangrene* ar goes Bwlchgwynt,
Fydd e ddim yn rhedeg yn glou!
Chi'n edrych fel 'sech chi ddim yn siŵr
Pwy sy 'da fi nawr?
Jones – er, slawer dydd, do'dd neb
Yn ca'l ei alw 'nôl ei enw, o'dd e?
Gormod o hen Davies yn y plwy.

Wel, cystal i fi ei throi hi,
Ma' dou neu dri lle 'da fi alw 'to,
A fydda i'n gweud wrthon nhw, nawr
Bo' chi'n edrych yn lled dda.
Own i'n meddwl wir, y bydde galw
Yn codi eich calon;

Neis eich gweld yn y gader 'ta beth –
Wedi'r cwbl, ma' pobl yn marw'n y gwely.

MENNA ELFYN

PROFIAD NEWYDD

Pan ddihunais i ryw fore rown i wedi paso mas,
Ac angel wrth fy mhen i yn wafo gole glas,
Ond paramedic oedd e, mewn ambiwlans, wir Dduw,
Yn tsiecio'n nêt of byrth i, a own i'n dal yn fyw.
A bant â ni i Glangwili a finne'n ddigon sâl
Ond erbyn i ni gyrraedd, doedd 'na ddim gwely i ga'l.
Off wedyn fel y cythrel i lawr am Withybush –
Dim lle yn fan'ny wedyn – dim hyd yn oed ar bwsh.
Ac felly i Prince Phillip Llanelli aed ar ras,
Roedd lle i un fan honno wath roedd coffin yn dod mas.

Roedd bandyn am fy ngarddwrn i ddweud mai fi own i,
Rhag ofn i rywun dierth fynd adre i'n tŷ ni.
A phan ges botel blastic gan nyrs fach Phillipino
Fe godes i fy nghalon – down i ddim yn ffaelu pî no.
Daeth Carys Ann★ â'r blode a Henry Jones★ â'r dail
Ac fe ddaeth Alun Esau★★ a Blaengwyddon★★ bob yn ail.
Roedd y cwpwrdd wrth fy ngwely 'r un fath â chownter
    Spar –
Bydd gen i gacs tra bydda i a phownde grêps yn sbâr.
Fe ges i stac o gardie fel cat'log papur wal,
Ond rwy wedi atgyfodi, ond hyd pryd, does dim dal.

IFOR OWEN EVANS

★ Gweinidogion.
★★ Trefnwyr Angladdau.

COLLI CYFLE

Cymeriad oedd Huws 'r *undertaker*
A'i wên yn eich cyfarch o hyd;
Un pwrpas oedd ganddo mewn bywyd –
Cael cyfle i'n claddu ni i gyd.
Fe'i cofiaf yn cerdded y pentref,
Crys gwyn a siwt ddu redi-mêd,
A'i lygaid ar bawb oedd yn cwyno
Gan fesur eu hyd a'u lled.
Rwy'n cofio cwyno fy hunan,
Cael trwbwl go arw hefo'r peils,
Mewn gwely yn griddfan mewn poenau
A Huws ddaeth i'm gweld yn 'ôl smeils'
Â thorch fawr o grêps yn ei ddwylo,
Rhai duon yn arwydd o barch,
A cherdyn yn dweud 'Brysia wella'
Ac arno, myn brain, roedd llun arch.
Ond gwella a wnes a dod adref
A'r peils 'di diflannu i gyd
A Huws gafodd siom – colli cwsmer,
A'r grêps wedi costio mor ddrud.

GWYNFOR GRIFFITHS

13

ANGLADD OD

Roedd William ar y cownsil ar ffordd yr A pump naw
Ar ôl 'ddo lanw'i deimshît fe groesodd 'r ochor draw.
Bu'r angladd yn y bore am chwarter wedi saith
Er mwyn i fois y cownsil gael diwrnod rhydd o'u gwaith.
Nid hers a ddaeth i Salem: ar lorri ddaeth yr arch
A'i roi gan ei gydweithwyr ar whilber gyda pharch.
Roedd pawb mewn siwtiau melyn o eiddo C.C.C.
A dim ond dreifer rowler a oedd yn gwisgo du.
Y fforman aeth i'r pulpud ar ôl aeth pawb i'w lle
A meddai'n awdurdodol, 'Mae'n ddeg, mae'n well cael te.'

'Mhen awr ar ôl cael paned cychwynnodd yn reit ffraeth
A chodi wnaeth ei destun 'Hyn allodd hwn . . . ni wnaeth'.
Daearwyd yr hen William yn dilyn pregeth hir
Yn sefyll yn syth fyny er mwyn cael arbed tir
A rhoddwyd yn ei feddrod ei raw – un newydd sbon –
Rhag ofan na châi bwyso 'r ôl mynd o'r fuchedd hon.
Fe ganwyd cân 'Deleila' a pheth o 'Calon Lân',
Bu casgliad a chyhoeddwyd sawl *whist drive* fyddai mla'n.
Bu'n angladd od dychrynllyd a hyn sy'n nodi'r lle
Yw sein o eiddo'r cownsil, sef ffordd 'Ded End, Wyn Wê'.

EMYR PENRHIW

ENGLYN Y BANANA

'We'n inne'n foi banana – nes gw'mpo
   Ar y sgamp w's dwetha'
  'We twist w, yn 'i fwa,
  A dyma *down* i'r dom da!

ANHYSBYS

CRICED

'Odd Dai yn ffansïo Brenda whâr Wil
(O achos seis 'i chest)
A 'wy ddim yn sôn am sidebord nawr
– Ond yn hytrach am bethe Mae West.
Odd hi wedi bod yn 'Dairy Cwîn'
Ac o'dd ganddi gwpane di-ri
A nage rhai arian ar y silff o'dd rhain
– Ond *WHALEBONE* – '44' – 'D'
Ac o'dd problem fawr 'da Brenda
O'dd hi'n shei (a hi'n dri deg tri!)
Withe, o'dd hi'n gwisgo *bathers* i'r bath
Ac *ear plugs* yn y toiled yn tŷ!
Ond jawl, o'dd hi'n joio criced
(A bydde hwn yn arf i Dai)
– Gofynnodd wrth Brenda am alw yn 'i dŷ
I watsho'r Test nos Iau.
A dyna fel y digwyddodd hi:
Nhw'u dou o fla'n y tân
Hithe 'di taclu yn 'i dillad dy' Sul
A Dai wedi gwisgo pants glân;
Lloeger yn bowlo i India
A nhw'n bato'n dda whare teg
Ond o'dd gêm gwahanol ym meddwl Dai
– O'dd e moyn sgoro'i hunan cyn deg.

Cwpwl o ddrincs a phaced o grisps
A dechreuodd Brenda ymlacio
Da'th gwên fach slei ar wyneb Dai
'Myn uffach! – o'dd hon jest â chraco!'
Cripo'n nes a'i fraich tu cefn
A'r llaw arall ar 'i phen-glin
Ond yn sydyn twitsiodd Brenda
A dod yn syth at 'i hun.

Mi gydiodd yn yr ashtrei
A'i daflu –
    WHAM!
       BAM!
         CLYMP! –
A'r unig 'sgôr' gâs Dai'r noson 'ny
O'dd:
    'OUT-BOWLED MIDDLE STUMP!'

DEWI PWS

ZIP

Yn ddiofal bûm â'r ddyfais – a jawch
    Dannedd Jaws a deimlais;
    Y mae olion ei malais
    Yn llwyr wedi codi'r llais!

ANHYSBYS

TRO TRWSTAN

Wrth dynnu y sip
Oedd yn cau fy nhrowsus
Ar fore'r briodas
Yn ddigon gofalus,
Aeth crandrwydd *Moss Brothers*
Yn yfflon rhacs,
Daeth y gajet 'chi'n dynnu
Yn grwn mas o'i dracs.

Yn fy ngwylltineb
Es yn syth i ddrâr seld,
Rown i'n ymladd yn erbyn
Y cloc 'chi'n gweld.
Ces afael mewn tiwb
Copydex ym mhen clip,
Ac fe wasgais stribyn
Gydag ochor y sip.

Es yn syth i'r Eglwys
Cyn bod mwy o alanas,
(Y fi, fel mae'n digwydd,
Oedd y gwas priodas)
A'r ficer yn sôn
Am berthynas gyfrin
Hyd dragwyddoldeb
Sy'n cydio deuddyn.

A rhygnu ymlaen
Am lawer o bethau,
'Hyd oni wahaner
Chi gan angau',
A finne'n amenio
Wrthyf fy hun,

'A unodd gliw,
Na wahaned dyn'.

Pan godais i'r Tôst,
Wedi i bawb gynnau ffag,
Roedd serfiét wrth fy nghopis
Yn sownd hol-di-dag,
Ac nid oedd blingo
Gwahadden ddim ynddi
Pan es mas i'r bac
I roi dŵr i'r poni.

Fe geisiais roi cusan
I'r *bride* oedd mor bert,
Ond aped y farn,
Es yn sownd yn ei sgert;
Ac mae'n ddrwg gen i orfod
Cyfadde heno,
Dyna'r unig beth sticodd
O'r briodas honno.

IFOR OWEN EVANS

BRATHIAD CARIAD

Yr on-i, neithiwr, Bronwen
yn datod dy wasgod wen,
yn rhyddhau'r cotymau tynn
a dod at wynfyd wedyn.

Yn noeth, drannoeth, o flaen drych
ar hynodrwydd rwy'n edrych:
Zwlw o hync — ac islaw:
lledar rhwng nionod Llydaw
ar ryw angl yno'n danglo;
brŵt mwya rhywiol ein bro.

Wedyn, dyma fi'n ll'gadu
fy ngwddw — a hwnnw'n ddu!
Yno'n grwn — ôl sugno'n graith
borffor ar groen mor berffaith.

Yr wyneb mawr yn 'be na' i' —
consỳrn y cnoi sy arna' i.
'Henffych' a fydd i'm hanffawd
a dyn gwych fydd destun gwawd:
'Dêt efo bleiddiast gest di?'
neu waedd: 'Rho grystyn iddi!'
Is y dannedd sidanwyn,
rwyt ti'n medru agor tun.

I'm gwddf, mae'n wael am guddfan —
mae o i'w weld ym mhob man.
Estynnaf am bâst dannedd
a'i roi'n gwysi i welwi'r wedd,
rhof finag a rhof enwyn,
eli, cŵyr, yna talc gwyn,
menyn a Jeyes (mae hi'n job)
a'i rwbio â dail riwbob;

yna'n galonwan, paent glòs
a mystyn am Ddomestos.
Ond rhy hwyr – does, 'ddim un tro,
un fflewj o gamwfflajo.

Yma'n noeth, problem neithiwr
ddaw i gau am wddw gŵr:
er delfrydu Lleucu Llwyd,
minnau a Ddobermaniwyd.
I frân mae brân, ebe rhai,
un neis iawn a'i cusanai,
ond dweud wnaf finnau nad da
yw brân os yw'n birana.

MYRDDIN AP DAFYDD

22

TRAFFERTH MEWN TAFARN

Deuthum i ddinas dethol,
A'm hardd wreangyn o'm hôl.
Cain hoywdraul, lle cwyn hydrum,
Cymryd, balch o febyd fûm,
Llety urddedig ddigawn
Cyffredin, a gwin a gawn.

Canfod rhiain addfeindeg
Yn y tŷ, mau enaid teg.
Bwrw yn llwyr, liw haul dwyrain
Fy mryd ar wyn fy myd main.
Prynu rhost, nid er bostiaw,
A gwin drud, mi a gwen draw.
Gwarwy a gâr gwŷr ieuainc –
Galw ar fun, ddyn gŵyl, i'r fainc.
Hustyng, bûm ŵr hy astud;
Gwneuthur, ni bu segur serch,
Amod dyfod at hoywferch
Pan elai y minteioedd
I gysgu; bun aelddu oedd.

Wedi cysgu, tru tremyn,
O bawb eithr myfi a bun,
Profais yn hyfedr fedru
Ar wely'r ferch; alar fu.
Cefais, pan soniais yna,
Gwymp dig, nid oedd gampau da;
Haws codi, drygioni drud,
Yn drwsgl nog yn dra esgud.
Trewais, ni neidiais yn iach,
Y grimog, a gwae'r omach,
Wrth ystlys, ar waith ostler,
Ystôl groch ffôl, goruwch ffêr.

23

Dyfod, bu chwedl edifar
I fyny, Cymry a'm câr,
Trewais, drwg fydd tra awydd,
Lle y'm rhoed, heb un llam rhwydd,
Mynych dwyll amwyll ymwrdd,
Fy nhalcen wrth ben y bwrdd,
Lle'dd oedd gawg y rhawg yn rhydd
A llafar badell efydd.
Syrthio o'r bwrdd, dragwrdd drefn,
A'r ddeudrestl a'r holl ddodrefn;
Rhoi diasbad o'r badell
I'm hôl, fo'i clywid ymhell;
Gweiddi, gŵr gorwag oeddwn,
O'r cawg, a'm cyfarth o'r cŵn.

Yr oedd gerllaw muroedd mawr
Drisais mewn gwely drewsawr,
Yn trafferth am eu triphac –
Hicin a Siencin a Siac.
Syganai'r gwas soeg enau,
Araith oedd ddig, wrth y ddau:
'Mae Cymro, taer gyffro twyll,
Yn rhodio yma'n rhydwyll;
Lleidr yw ef, os goddefwn,
'Mogelwch, cedwch rhag hwn.'

Codi o'r ostler niferoedd
I gyd, a chwedl dybryd oedd.
Gygus oeddynt i'm gogylch
Yn chwilio i'm ceisio i'm cylch;
A minnau, hagr wyniau hyll,
Yn tewi yn y tywyll.

Gweddïais, nid gwedd eofn,
Dan gêl, megis dyn ag ofn;
Ac o nerth gweddi gerth gu,
Ac o ras y gwir Iesu,
Cael i minnau, cwlm anhun
Heb sâl, fy henwal fy hun.
Dihengais i, da wng saint,
I Dduw'r archaf faddeuaint!

DAFYDD AP GWILYM

25

TRAFFERTH MEWN TAFARN

Ar stôl wrth far y Leion
Mewn sgert fer, fer a thyn,
Eisteddai geneth **wisgi**
A'i henw hi oedd **Jin**.

'A hoffet weled?' holais
'Rhai **schnapps** o 'nheulu i?'
(A gwelwn liw ei **licer**
O'r fan lle 'steddwn i).

'O **Jin**, O **Jin**,' ochneidiais,
'O rwy'n dy **gwrw** di,
Nid oes yr un ferch arall
Yn **campari** â thydi.

Dy gael i rannu 'mywyd
A fai'n anfarwol strôc,
Mae **guinness** stad a phalas
Yn ymyl Penrhyn-**coke**.'

'Mae gennyf ŵr,' atebodd,
'Sef Hardy, bachgen **stowt**,'
'Wel dyna **bitter**,' meddwn,
Ar hynny daeth y lowt

A'm gweled i fan honno
(O **tanco**!) yn cael clonc,
'**Bac ardi**!' meddwn wrtho,
Ond rhoes im ergyd – **plonc**!

Ac yna rhoes **argmagnac**
Rhyw boenus gic yn wir,
Mae clais mawr ar **martini**
I'w weld o hyd yn glir.

26

I mi rhyw gweir ofnadwy
A **rosé**, ar fy llw,
Ni welwyd yn y Leion
Erioed fath **malibŵ**.

Es oddi yno'n **shandy**
O olwg y **coc-têl**,
Rwy'n credu y riportiaf
Y **soda** i Ddafydd **Êl**.

Nid af i'r Leion **lager**,
Er **fodca** le di-brin,
Dim chwant am dwy o **dwbwl**
Nac awydd mwy am **Jin**.

TEGWYN JONES

27

CAEL TRAFFERTH I OFYN
WRTH Y COWNTER

Cyn dyddiau'r haint,
doeddan nhw ddim yn bethau i saint,
roeddan i'w cadw'n hysh-hysh,
i'w gofyn amdanyn ar ôl cael lysh;
os oeddat ti wirioneddol isho un,
roedd rhaid iti fod yn dipyn o ddyn:
gwisgo Trilbi isel
a choler uchel,
hen, hen gabydîn,
mynd i mewn wysg dy din,
ymddwyn fel taet ti wedi dy gagio,
disgwyl i'r siop wagio,
dewis dy asistant
mor ofalus â diodrant –
hen foi canol oed reit solet
(nid ffifflen fasa'n giglo'n y toilet),
sibrwd dy neges a llyncu dy boeri,
disgwyl i'r chwys ar ei dalcen oeri,
ei wylio'n chwalu dan y cowntar
a'r perlau'n disgyn i lawr dros ei snowtar;
mae'n rhegi a'i baglu hi am y cefn,
toc, mae o'n ôl dan y cowntar drachefn,
â dwylo crynedig, mae'n cynnig y nwydd:
'Dyma chi,
ein dewis o dri –
cardiau Cymraeg at ben-blwydd!'

MYRDDIN AP DAFYDD

28

SIOPA GYDA DAD

'Cofiwch brynu llysiau da:
bresych, moron, pys a ffa.'

'Iawn, Mam, hwyl, Mam!
Bant â ni!'
(Siopa gyda Dad sy'n sbri!)

Yn y troli fi sy'n gyrru,
Dad sy'n gwthio, Dad sy'n chwysu.

'Chwith, Dad, dde, Dad,
nawr, Dad, stop!'
(Dyma lle mae silff y pop!)

''Nôl, Dad, 'mlaen, Dad,
heibio'r ffa!'
(Nawr fan hyn mae'r hufen iâ!)

'Lan, Dad, lawr, Dad,
'mlaen yn syth!'
(*Chicken nuggets* ar y chwith!)

'Mewn, Dad, mâs, Dad,
talu'r bil!'
(Y mae siocled wrth y til!)

Dyna ni! Y troli'n llawn,
ac o'r dre am adre'r awn.

Helô, Mam, chi eisiau pop?
Doedd dim llysiau yn y siop!'

CERI WYN JONES

SIOPA

Af i siopa nawr i Tesco,
Nid oes talu am gael parco,
Dewis cart a rhoi y misus
Yn y sêt; mae'n llai ffwdanus.
Bydd ei thraed yn eithaf handi
I gael breco rownd corneli.
Darllen *Golwg*, *Keeping Slim*
Teïfi Seid a'r *Sun* am ddim,
Byta grepsen wrth fynd heibo,
Nid wy'n prynu heb eu treio,
Nawr rhaid dachre llanw'r stwff,
Treio peido bod yn rwff,
Rhaid cael bocsed mawr o borej,
Cystard, sos a pheder sosej,
Sebon siafo, pownd o fenyn,
Lastic, omlet, a sgadenyn,
Lacsatif i gadw'n iach,
Lot o bapur i'r tŷ bach,
Stwff i stico danne' dodi,
Coese ffowlyn wedi'u rhewi,
Bwyd i'r cwrci a'r tsiwawa,
Presant slei i'r wraig drws nesa.
Mae y gambo'n llanw'n jogel,
Cwato'r misus bron i'w bogel.
Unwaith eto rwy'n mynd rownd,
Heibo'r grêps, bron byta pownd,
Dewis potel win o Sbaen,
Crisps blas draenog a fflŵr plaen,
Tun bêc bins i helpu'r gwynt,
Rybyrs shws gael mynd yn gynt,
Torth hir fain fel polyn iet,
Bron â bwrw boi yn blet,
Wrthi'n spido am y til,
Dachre becso faint yw'r bil,

Talu lawr a dachre hwpo
Am y car er mwyn ca'l lodo,
Hwnnw'n orlawn hyd y top,
Byddai'n rhwyddach prynu'r siop,
Rhoi y misus yn fy nghôl,
Hitsio'r troli y tu ôl.
Yn Pen-parc cael stop 'da bobi
Am fod sbarcs 'da whîls y troli,
Pethe'n toddi, dyna lwc,
Weldo'r acsl 'da Tobrwc,*
Anlwc fawr wrth newid gêrs,
Potel sos yn jibidêrs,
Ymhen oriau cyrraedd adre.
Siopa mwy yn siop y pentre!

EMYR PENRHIW

---

* Gweithdy Gwynfor Harries, y gof a'r baswr.

31

TACHWEDD YN TESCO

Twll y gaeaf tu allan
sydd yn dywydd blas ar dân.
Procio llym, y priciau llaith,
ailgynnull y glo ganwaith,
chwythu gwallgof – hyn gofiais
'Ffeiar-leitar' medd rhyw lais.

Dysgais, ac es am Desgo.
Byr yw'r trip – jyst heibio'r tro –
a nef i rai sydd ar frys.
'Nelais, a pharcio'n hwylus.

Troedwanu'r drws trydanol,
chwilota'r rheng a chael trol.
Un peth, ia, unpeth, mi wn,
o'i mewn-hi a ddymunwn
ond yn wir, mae dyn yn hon
yn lônar heb olwynion.
Nid i mi'r steil od, am hyn
mi droliais fel meidrolyn.

Myfi a'm troli, rhoi tro
a wnaethom; mi'n ei gwthio
yn wîlffein rhwng y silffoedd
ond yno dân, na, nid oedd.
Wedi'i wneud ddim ond un waith,
mi droliais am dro eilwaith.

Yr o'n i yn estronwr
yn y siop, mae hynny'n siŵr,
ond ar eildro y droldrip
mi a ges, dwi'n amau, gip

neu ddau oedd chydig yn ddu –
rhyw wthwyr llawn yn rhythu:
'Ydi hwn ddim hanner da,
y tshapyn heb list shopa?'

Unig iawn yw'r troliwr gwag –
yr o'n i'n Wali trolwag
a braidd yn aeddfed wedyn
i drap y sblanderau hyn.
Mi wn nawr i mi wanhau
is dawn denu'r stondinau.

'Wyt ti isio letusan?
neu riwbob mawr neu grib mân?
Cym Radox, cymer rwdins,
cym fŵs, cym fenyn, cym fîns,
cym sudd, cym siwgwr, cym socs
a hwda: 'ffrôsyn hadocs!'

O!'r job oedd – yr hwrjo o bell,
cymaint, cymaint i'm cymell.
Soserais uwch groserau
a 'mil i oedd yn amlhau –
mor rhwydd oedd casglu'r nwyddau,
rhy gwic ddaeth yr awr i gau.

Â llond Bismarc o bârcods
wele aeth dwy o waid lôds
drwy'r til; mynd, wedi'r talu,
'nôl i dwll gaeafol, du
â stoc mis o sticiau Mars
a letus – ond heb leitars.

MYRDDIN AP DAFYDD

Y CARNIFAL

A'r Carnifal 'n mynd heibio, edrychai pawb yn syn,
Beth ddiawl mae Puw Prudential yn gwneud mewn dull fel
   hyn,
A beth mae'n gynrychioli yn droednoeth ar y tar?
Nid oes dim byd amdano, ond carthen ar ei war.
Dros ysgwydd mae yn pipo drwy sbectol rownd fel nain,
Â'i ben fel Aran Peilot a'i goesau brongoch main.
Mewn pinstreip siwt fe'i gwelwyd, gynharach y prynhawn,
'Da gwraig y ffeirad alwodd – (mae hon yn nwydus iawn).
Pan welwyd gwas yr Arglwydd yn mynd drwy ddrws y ffrynt,
Trwy'r cefn fe giliodd Satan 'noethlymun, betiai bynt.
A chan bo'r gwynt yn chwythu a'i bod hi'n ddwyrnod ffein,
Wrth ffoi fe gipiodd flanced hongianai ar y lein.
Nawr dan y blanced *cover*, sdim dowt cadd syniad gwych,
Fe basie'n siŵr fel Gandhi er bod ei glôg yn wlych.
Yn gudd yr oedd ei bremiwms tan *gover note* go faith,
Nid am fod ganddo lawer o arddangosfa chwaith.
Ond pwy oedd ar y panel, ond gŵr y goler gron,
A waeddodd yn gyhoeddus – 'Fi pia'r flanced hon!'
Er colli fe wnaeth Gandhi go slic ei bilyn hardd,
Cadd eto wobr gyntaf, fel Adda yn yr ardd.

ARWEL JONES

BALED Y STRIPAR

Chwi Gymry glân aneiri'
Dowch mla'n i wrando stori
Na bu ei gwell mi fentra ròt,
Am Dot y stripar heini.

Ei hobi oedd arddangos
Ei hun ymhell ac agos,
A rhaid yw bod yn deg â Dot –
Roedd ganddi lot i ddangos.

Ond cyn mynd mla'n â'r stori
Fe hoffwn ychwanegu,
Taw'n Eglwys Bresbyteraidd Sblot
Y dygwyd Dot i fyny.

Ac aelod brwd i r'feddu
Beth bynnag fyddai'r tywy'
Cwrdd gweddi, Dorcas, seiat – y lot,
Roedd Dot yn eu mynychu.

Gwnaeth radd B.A. mewn stripio
Yng Ngholeg Coffa'r Bermo,
Ac enwog ddaeth am ddawnsio'n chwim
A dim yn cael ei gwato.

Bu'n dawnsio'n Ffrainc a Deri,
Clunderwen ac yn Nhwrci,
Ac unwaith yn yr Albert Hall
A dim ytôl amdani.

Ond dyma oedd ei phrofiad –
Ddaeth iddi 'rioed wahoddiad
Gan 'r eglwys – a hithau'n un o'i phlant –
I dynnu bant ei dillad.

Arhosodd am ei chyfla,
Daeth hwnnw mewn Cymanfa
Yn Eglwys Bresbyteraidd Sblot
Sef capel Dot – Bethania.

A'th mla'n i'r ffrynt i eiste
A daeth 'r arweinydd ynte,
A chyn bo hir roedd hwnnw'n ffri
Yn chwifio fry ei freichie.

Daeth off ei dillad ucha
Ar ganol 'r emyn cynta',
A'r tenors oll yn canu'n llon,
'*Roll on* yr emyn nesa!' –

Yn ara bach fe stripws,
Pob pilyn ffwrdd a dynnws,
Ac ni bu rioed shwt ganu da
Ar yr Haleliwia Corws.

'R organydd glywai'r twrw
(Roedd organ braf gan hwnnw),
Fe droes ei ben a rhoddodd floedd
Wrth weld beth oedd y sbort-w.

Ac meddai wrth y dyrfa,
'Ni chaech-chi fyth, mi wranta,
Pe chwiliech yr holl fiwsig shops
Ddim organ stops fel yna'.

Ei lygaid fel dau ffloring
A wyliai'r eneth dering,
Ac ar yr organ chwarae'n llon
Yr 'Air upon a G-String'.

Gresynu wnâi'r sopranos
A gwgu wnaeth yr altos,
Ond nid oedd gwg na chilwg gas
Ymhlith y bas proffwndos.

Roedd llawer canwr yno
Yn teimlo'n reit tremolo,
A'r gw'nidog yntau bron cael haint
Gan gymaint ei vibrato.

Ymlaen â'i dawns yn dawel
Aeth Dot, gan neidio'n uchel,
Roedd yno le – wel tewch â sôn –
Cyn cyrraedd 'Tôn y Botel'.

Cot blaenor yna gafwyd,
Dros Fryniau Casia'i taflwyd,
A het rhyw flaenor arall ga'd
I guddio Gwlad 'r Addewid.

I uchel floedd a chwiban
O'r diwedd daeth Dot allan,
A chanwyd tôn a geiriau doeth
Am wisgo'r noeth a'r aflan.

A hyd y diwrnod heddiw
Hynafgwyr uwch eu cwrw
Sy'n cofio am Gymanfa Sblot,
A diwrnod Dot oedd hwnnw.

TEGWYN JONES

MEWN CYMANFA GANU
WRTH YMYL UN SYDD MAS O DIWN

O, Arglwydd, pam mae *doh* i hwn
  'Run fath â *fah* i'r côr?
A pham mae *ray* i hwn fel *fah*,
  Oes gen ti ateb, Iôr?
O Arglwydd grasol, gwrando 'nghais –
  Cer â'm clyw, neu cer â'i lais!

HEDD BLEDDYN

Y GYMANFA BWNC

'Mi euthum i'r dre brynhawn echdoe,'
    Ebe Leisa gan glirio ei llwnc,
'I chwilio am dipyn o ddillad
    Ar gyfer y diwrnod Pwnc.
Fe werthodd John Henri yr ebol
    A chafodd bris da am y llo,
Ac nid oedd ond teg i minnau fynd
    I brynu dilledyn, sbo.
Ond jiw, doedd yno ddim dewis
    – Hen bethau shodi i gyd;
Fe synnech, myn hyfryd, Marged,
    Fod defnydd bach meddal mor ddrud.
Roedd eisiau hat ar Eluned
    – Mae'n canu'n y côr, wrth gwrs,
Ac er mwyn cael hat fach deidi
    Mi wariais yn helaeth o'r pwrs.
Hat *halo* fach deidi, Marged,
    A'r feil yn dod lawr dros y trwyn,
Un debyg – (ond llawer gwell defnydd)
    I hat Joseffin Pant-yr-ŵyn.

Gan mai John sy'n arwain y tenors
    Mi chwiliais am grys bach print;
Mae gwlanen mor arw, rywsut,
    A John a gymerth yr *hint*.

Fe'i treiodd ef neithiwr yn awchus
    Ar ôl gorffen â'r gwaith ar y clôs.
Fe'i gwisgodd yn iawn, ond am ddiosg!
    Bu'r coler amdano trwy'r nos.
Y clips ar y coler yw'r broblem,
    Mae'r styden yn gwasgu ei lwnc,
Ond fe ddaw gyda phractis, Marged,
    Erbyn dydd y Gymanfa Bwnc.

Er mwyn cael tipyn o newid
   Eleni mi brynais tw-pîs,
Y swager sydd unlliw â mwstard
   A'r sgyrt sydd unlliw â phys.
W! A welsoch chi gostiwm Gerti
   Glanrafon? Un dew o liw bric,
Wel, welais i 'rioed y fath olwg,
   Mae dewis yn hanner y tric.
Ac a welsoch chi hat Marged Parri,
   Un unffurf ag wy com-bac?
A grîn mor breit ar y rhuban,
   Pam gynllwn na fynnai hi blac?
Bydd Besi-Fach-Ni cyn berted
   Â neb ar y llofft, rwy'n siŵr.
Bydd pobun yn canmol ei chostiwm
   Ddydd Llun yng nghapel Glandŵr.
Bydd y bancer newydd, Marged,
   Yn marw am wâc gyda hi –
Pan wêl ef ei chostiwm newydd,
   Bydd Marged, bydd coeliwch fi.'

'Wel, byddaf yn dod i'r Gymanfa,'
   Ebe Marged yn serchog iawn;
'Pa bennod sydd gennych eleni?
   Mi allwn ei darllen pe'i cawn.'

'Y chweched bennod o Mathew,'
   Ebe Leisa yn hynod o llon –
"Na ofelwch pa beth a wisgoch" –
   A phennod ragorol yw hon.

Yn donnau o ffroth, aeth adref yn awr,
A mynd at y glàs i dreio'i chot fawr.

W. R. EVANS

DEWIS DIACONIAID

Roedd angen diaconiaid ers tro'n ein capel ni,
Meddyliais yn y gwely, 'na job a siwtai fi.
O edrych ar y safon, y rhai sydd nawr mewn swydd,
Fe wyddwn cawn fy ethol a hynny'n eithaf rhwydd.
Mae Dai Pendre yn Hawen rwy'n tyngu ar fy llw
Yn stâl yr apostolion trwy werthu *Esso Blue.*
Ym Mwlchygroes yn barchus mae Emyr o Benrhiw,
O'i weld fe fedrech gredu ei fod yn frawd i Dduw.
A Dewi James yn Seion fel arglwydd yn y llys,
Mae yno i chwilio arian i dalu Guto Prys.
Nid angel yw John Owen fu'n byw yng Ngelli Deg,
O roi ei fys dan forthwyl mae'n gollwng ambell reg.
Bûm wrthi yn canfasio trwy alw'n ambell le,
Rhoi peint i fois y local a gwahodd rhai i de
A mynd â grêps a stowten i bobol oedd yn dost
Gan fydden nhw mae'n debyg yn foto drwy y post.
Fe brynais siwt yn *Oxfam,* un *charcoal grey* lliw du
A choler '*Come to Jesus*' am tw pownd fifffti pi,
Ac yna fe es ati i siafo top fy mhen,
Mae pen sy'n foel yn rhinwedd, a'r ddawn i ddweud Amen.
Fe af i'r Cwrdd Diolchgarwch ac amser Santa Clos,
Angladde a phriodase ac ambell gwrdd y nos.
Yn amlwg yn ŵr ffyddlon yn gyson rhof yn hael
Bum punt i'r weinidogaeth, mae nawr yn amser gwael.
Fe roes fy llun yn *Golwg,* y *Greyhound Times* a'r *Tyst,*
Posteri ffliworesent a sticiais ar y pyst.
Fe brynais y *Caniedydd* yn rhad 'da Ken y Graig
Gan bydd rhy wan i ganu ar ôl cymeryd gwraig.
Cyhoeddais faniffesto ar sut i gadw'r Sul,
Sut fyddwn, 'r ôl fy ethol, yn cadw'r llwybyr cul.
Ni fyddwn yn cymysgu â beirdd fel Emyr Jôs
Na'r fflwcs sydd yn cyfarfod yng nghaffi Tanygro's.
Yn hytrach fy ngobeithion oedd gweld fy ffordd yn glir
Gael mynd 'da'r diaconiaid i gyrddau top y sir.

Cyrhaeddodd dydd yr ethol a minnau mhell ar ôl,
Fel aelod y Blaid Llafur yn safle isa'r pôl.
Y Parch a roddodd wybod yn union faint y sgôr,
Un fôt 'da fi fy hunan, a'r llall 'da'r wraig *next door*.
Bu'r parti mawr a drefnais yng ngwesty y Llew Du
Ymlaen 'r un fath yn gywir i'm holl gyfeillion lu
Ac yfwyd sawl llwnc destun bron hyd at doriad gwawr
I'r rhai fel fi a fethodd â chyrraedd y Sêt Fawr.

EMYR PENRHIW

AT YR EGLWYSI SYDD YN
MYNED HYD YN BYCLUNS

Ac mi a glywais lais yn dywedyd,
'I ble, eleni, yr awn ni
Ar drip yr Ysgol Sul?'
Ateb, hefyd, a glywais
Fel swn llawer iawn o bobol
Yn rhoi un gri fyddarol,
    'Bycluns.'

Ac amlen a roddwyd dan sêl
At un yr oedd ganddo gerbyd
Yn dwyn y cyfrin enw hwnnw:
    Sharabáng.

Bore dydd Sadwrn cyffro mawr a fu
O'r gwawrio cyntaf hyd dywyllu.
Ysgol Sulwyr, 'welwyd yn bedwar llu
Mewn pedair cyrchfan yn ymgasglu.
Galwodd y gweinidog ar y shandifáng
I gymryd eu lle ar y sharabáng.

Ar y ffordd rhwng Cricieth a Phwllheli,
Ddim ymhell o Chwilog a'r tu draw i Lanllyfni*
Mae cytiau gwyrdd ac o'u blaen faneri
A phwll glas i nofio i'r rhai sy'n teimlo fel'ny,
A lle'n llawn o fwynderau am ddim, ar ôl talu − wrth y giât,
Lle felly ydi gwersyll Bil Byclun.

Difyrion!
O! dyna ddifyrion sydd yna'n y lle
O'r gadair sy'n codi hyd at baned o de;

* O safbwynt Bangor.

Mae trên, efo cloch, yn symud ar reilen
A thröell fendigedig o liwgar o sglefren;
Mae chwrligwgan sy'n troi mor gyflym
Nes eich pwyso yng nghefn eich sêt yn strimyn,
Mae yno geir bach, moto beiciau meddw
Sy'n sgrytian eich bol i fyny i'ch gwddw,
A thrabant amryliw sy'n whiwio o gwmpas
A thynnu eich perfedd yn dynn iawn, fel gardas,
    Heb sôn am bwll nofio
    A llyn i ganŵio.
Ac o dan do mae yno le chwarae snwcer,
Ping-pong a biliards – lle dibryder.
A beth am y pethau sydd yno i'w bwyta,
Yn gandi-fflós, tjips Tjeinîs ac amryfal dda–da?
    Lle o ryfeddodau syn
      Fel hyn
    Ydi gwersyll Bili Byclun.

Ar ddiwedd dydd yn y cyfryw fan
Sut, yn wir, y gellir
Disgwyl i Ysgol Sulwyr ar Saboth
Ymateb i Nefoedd pan fo'r holl ddelweddau
O'r lle wedi eu codi o ddychymyg cyndadau
Na wydden nhw ddim byd am Bycluns?
Rhai sydd am gyflwyno inni
Le gwisgo gwyn, lle canu telynau,
Heb ddim canu pop, dim ond rhygnu emynau
Hyd dragwyddoldeb.

Yma, atolwg, cyflwynir eto'r hen Nefoedd
Mewn delweddau Byclungar o newydd
Fel y bo'r cwbwl yn berthnasol
I'r to sydd ohoni yn yr oes bresennol.

Biliards Seion, ar ei byrddau
     Chwery engyl iach,
Dyma filiards saint yr oesau,
     Dyma filiards plentyn bach.

Nofio Seion, idd ei phyllau
     Tyred yno ar dy hynt
Iti brofi dwfn blymiadau
     Brofwyd yn y dyddiau gynt.

Jiwcbocs Seion, newydd odlau
     Seiniant yno drwy y dydd,
Cyd-gymysgant â sgrechiadau
     Genod ar y trabant sydd.

Hot-dogs Seion, o mor flasus,
     Candi-fflós a hufen iâ,
Creision tatws, diod fefus,
     Ac amrywiaeth o dda-da.

Bycluns ydyw heb heneiddio,
     Ysgol Suldrip hir, heb law,
Melys yno'n wir fydd treulio
     Oesau fyrdd ryw ddydd a ddaw.

GWYN THOMAS

MATILDA

Otych-chi'n napod Matilda ni –
Ddim yn napod Matilda? Wel, mae'n napod chi.
Nace chi dwcws 'i lle hi wrth giwo am fỳs . . .
Mae e'n dda i chi nath Matilda ddim ffỳs.
Achos weta'i 'tho-chi hyn, pan mae'n mynd iddi phange,
Mae'n well gellwn hi fod a phido whare,
Chi'n gweld, ma' Matilda yn whar i fi,
A wy'n gwpod beth yw hi, pan mae'n cal 'i ypseto yn tŷ.

Wy'n cofio un diwrnod odd hi miwn yn y pantri
Pan ofynnws Mam iddi olchi'r llestri:
Os do fe . . . mae'n dechre, dechre whilia gyta'i hunan,
A'i lliced yn troi fel ta'i'n etrych i bobman . . .
A dyna o'dd yr arwdd i ni gyd i sgwaro,
Oherwydd oe'n-ni'n gwpod bod hi'n mynd i berfformo.
Dyma'i mas o'r pantri, a miwn i'r gecin,
A oe'n-ni i gyd ar y stâr, ni gyd . . . ond y cwrcyn.
A phŵr dab o hwnnw, 'odd e ddim dicon cwic –
A dyma Matilda yn estyn cic,
A fe ddalws y cwrcyn lle mae'n catw'i swper,
A fe gofiff y gic 'na tra bo blewyn m'wn Bloter.

Ych-chi'n gweud bo' chi ddim yn napod Matilda ni –
Ddim yn napod Matilda? Wel, mae'n napod chi.
Achos wetws, fe gofiff chi tra bydd hi byw,
Pan dwcsoch 'i lle hi pryd 'ny yn y ciw.

Fe setlws Matilda y cwrcyn heb ffỳs,
A fydde'n well 'sech-chithe wedi colli'r bỳs,
Chi'n gweld, ma' Matilda yn whar i fi,
A wy'n gwpod shwd beth yw hi yn 'i phange yn tŷ.

Pan ma' dyn mas o'i gof, mae e wastod yn gwiddi,
Ond Matilda, mae'n ots, mae hi wastod yn gwenu,
A wetyn mewn sbel fe gewch glywed Matilda
Yn tynnu'i hanal fel sŵn consartina;
A wetyn ma' pawb sy'n 'i napod hi'n sgwaro,
Achos wedi tynnu 'i hanal mae'n dechre perfformo . . .

Wy'n cofio un nosweth, ath hi i brynu het,
I gladdu Mam-gu, cofia'-i'r amser yn net.
Dath Matilda i'r tŷ, a'r het ar 'i phen –
Weles i neb yn debycach i Ladi Wen;
Dyna'r het ryfedda eriôd weles i,
A meddwl fod hi'n het i angladd Mam-gu . . .
Odd *cherries*, un ochr, a phlufyn glas, reit yn y canol
Yn stico mas,
A rhwng bod Matilda mor dene a thal,
Fydde angladd Mam-gu fel ryw Garnifal.
A medde rhywun mor hurted â ffliwt:
'Mae'n het fach o'r gore, ond bai'r plufyn a'r ffriwt'.

Os do fe, y peth nesa odd lliced 'y whar
Yn dechre troi, dyma ni i gyd lan y stâr –
Y cwrcyn ath gynta, i'r garret i gwato . . .
Odd e'n cofio'r tro dwetha bu Matilda'n perfformo.
Ac fe drychodd hithe so'dd y cwrcyn yn handi,
Ond ffilws 'i weld e a fe ath miwn i'r pantri,
Ac fe dorrws bob jwg odd yn hongan ar fachyn,
Dou ddwsen o ddyshgle, tiwrîn, a deg basyn,
A wetyn gas hi bwl, canu 'Calon Lân',
A citsho'n yr het, a rhoi ffling iddi'r tân.
A'r peth nesa nath hi odd citsho'n y sgilet –
Y present gas Mam gyta Ynti Jinet,
A wetyn dyma hi'n cered fel sowldiwr i'r parlwr,
Ac fe weles wrth 'i lliced hi fod hi mynd i neud trwpwl.

Ma' llun yn y parlwr, llun mewn ffrâm ddu,
Dyna ddou lycad Mam, llun priotas Mam-gu
A'r peth nesa fe glywson-ni odd sŵn y sgilet
Yn cyrraedd drw'r llun fel ergyd o fwlet.

A rhwng fod yr het a'r *cherries* ar dân,
A phriotas Mam-gu yn bishis bach mân,
Y cwrcyn yn y garret yn dechre pipan
A Mam ar y stâr yn snwffan a wepan,
Y llestri yn yfflon fel pluf atar mân
A sŵn Matilda'n canu 'Calon Lân' . . .
Odd e'n ddicon i hala ni i gyd yn ddwl –
Diolch taw withe ma Matilda'n cal pwl.
Bydde'n dda se Matilda yn lwco i gal gŵr,
I rywun arall gal shâr o'r stŵr.

Ond wy'n flin, tawn ni'n marw, am fenyw fel chi
Os nag 'ych chi'n napod Matilda ni.
Ond symo Matilda yn un am wneud ffỳs,
Ond mae'n gweud lice hi sgwaro hen fusnes y bỳs.

A symo chi'n napod Matilda ni . . .
Ond fe ddewch chi i napod hi, cretwch chi fi.

ABIAH RODERICK

MERCH AR GEFN BEIC

Byr ei chlos, byr ei hosan – y coesau
    Fel caseg yn trotian;
  Un hyll a'i thafod allan,
  Ei phen lawr, a'i phen-ôl lan.

JOHN GWILYM JONES

PETHAU PWYSIG

'Y drych,'
medda hi,
ydi'r peth pwysicaf
mewn car.

'Achos heb hwnnw
fedrwch chi ddim gweld
i wneud eich gwallt.'

'Ond beth am y llyw?'
holodd yr Arholwr.

'Wrth gwrs,' cytunodd hithau;
'ac i weld
fod y lliw
yn iawn ar eich gwefus.'

GLYN EVANS

50

Ms

Ni fyn ei galw'n fenyw – na hogen
  Na gwraig chwaith nid ydyw,
Nid yw ŵr chwaith na deuryw,
Ffêr inyff, beth yffarn yw?

DIC JONES

INDEPENDENT ON SUNDAY

'And when you consider their language
Has only survived this far
Because of committees inventing words
For 'television' and 'car',
You don't know whether to laugh or cry,'
Meddai Janet Street-Porter, a neb llai.

'Mr Glyn is intent on preserving
An arcane and irrelevant view
Of a land which is full of Welsh people
All doing what Welsh people do.
You don't know whether to laugh or cry,'
Meddai Janet Street-Porter, a neb llai.

'People happy to go down the coal mine
And the quarry for tuppence an hour,
Eat mutton and bread, and sing Welsh hymns
In the chapel and the pit-head shower.
You don't know whether to laugh or cry,'
Meddai Janet Street-Porter, a neb llai.

'The Wales of Mr Glyn disappeared
After the First World War,
And nothing of importance at all
Ever happens in Wales anymore.
You don't know whether to laugh or cry,'
Meddai Janet Street-Porter, mwy neu lai.

'North Wales is a theme-park,
Whether Mr Glyn likes it or not.
And don't think I'm saying this because
Of some personal problem I've got,
But if they haven't sacked him, they bloody well oughta!

INDEPENDENT ON SUNDAY;
Janet Street-Porter . . .

Chwertha, Janet! Cria! Lladd dy hun!
'Di o ddiawl o ots gan bobol Llŷn.

TWM MORYS

53

SYMO NI GYD YR UN PETH

Ma' gwaniath rhwng bachyn a hoelen,
A ma' gwaniath rhwng ceffyl a chath,
Ma' gwaniath rhwng menyw a menyw
Ond fod ambell i waniath yn wa'th.
Ma' ambell i fenyw apal,
Ac ambell un dene fel *tin*,
A phan fydd 'r un dene'n plycu
Mae'n depyg i *safety pin* . . .
A symo ni gyd yr un peth, bois,
Symo ni gyd yr un peth.

Ma' gwaniath rhwng dyn sydd yn briod
A dyn sydd yn glwtyn llawr,
Os nag ych yn cretu . . . dewch draw i'n tŷ ni . . .
Mae Nhad wrth y *mangle* 'nawr.
Chi'n whilia am dêmo'r llewod . . .
Mae'n bleser gweld mam ar y *go*,
Dim ond cwarter gair sy ishe iddi weud . . .
Ele Nhad mas drw' dwll y clo,
A symo ni gyd yr un peth, bois,
Symo ni gyd yr un peth.

Ath bachan un tro dan *Steam Roller*,
Ac enw y drifwr odd Pat,
Odd y drifwr yn gwlffyn o fachan . . .
Mor wahanol i'r nall . . . odd e'n fflat.

Wedi'r *Roller* fynd drosto fe ddwywaith,
Odd y drifwr mewn syndod mawr,
I feddwl fod dyn wedi 'i wasgu,
Yn cuddio cyment o'r llawr . . .
A symo ni gyd yr un peth, bois,
Symo ni gyd yr un peth.

Ma' 'na waniath rhwng pechaduried,
A'r dynon sy'n sobor o dda,
Wrth gwrs, ma' rhai'n wa'th na'i gilydd . . .
Ma' nhw'n depyg i'r bleit ar y ffa;
Fydd y pechaduried nos Sadwrn
Yn bartners â phawb yn y byd,
A'r lleill wrth bryderu amdanynt
Yn 'u gweld nhw'n golledig i gyd . . .
A symo ni gyd yr un peth, bois,
Symo ni gyd yr un peth.

Se pawb o ni'n depyg i'n gilydd,
Fydde'n jobyn i weud pwy 'ych chi,
Oherwydd fydde dim 'da chi i brofi'n
Wahanol mai chi fydde fi,
A phan fyddwn i'n whilia 'da 'n hunan,
A chretu mod i'n whilia 'da chi,
Fydde chithe ddim tamed yn gallach . . .
Wrth whilia 'da'ch hunan 'da fi . . .
A symo ni gyd yr un peth, bois,
Symo ni gyd yr un peth.

ABIAH RODERICK

55

SYMUD

Yr iach a gach yn y bore,
yr afiach a gach yn yr hwyr.
Yr afiach a gach 'mond mymryn bach,
ond yr iach a gach yn llwyr.

56

PŴDL PŴP

Yr iach a Anne Robinson y bore,
Yr afiach a Anne Robinson yr hwyr,
Yr afiach a Anne Robinson bob yn dipyn bach,
Ond yr iach a Anne Robinson yn llwyr.

MIHANGEL MORGAN

[Ceir geiriau eraill am Anne Robinson mewn gwahanol dafodieithoedd,
er enghraifft A. A. Gill, Jeremy Clarkson, ac yn y blaen, ond yr un
yw'r ystyr bob tro.]

Y BIGOG ORGEGOG ANNE (ROBINSON)

Gwnewch hi'n aelod llawn o'r Orsedd,
Rhoddwch iddi gerdyn SWS,
Rhoddwch gadair cwango iddi,
Gwnewch ohoni bob rhyw ffws.
Codwch hi ar eich ysgwyddau
Lan cyfuwch â Dewi Sant,
Fe wnaeth fwy o les i Walia
Na'n Cynulliad chwarae plant.

Ac yn goron eich addoliad
Rhowch hi i gwrdd â Seimon Glyn
Fel y gallont dynnu'r gorchudd
Oddi ar y llygaid hyn.
Cenwch iddi salmau llafar,
Rhoddwch iddi fri a chlod,
Man a man gweld lliwiau'r gelyn
Os oes brwydrau eto i ddod.

Hi yw seren ein tywyllwch,
Hi sy'n gwneud yn hollol blaen
Ble mae'r diffyg yn y deall,
Ble mae'r gwendid yn y tshaen.
Gwrthrych teilwng gwyrth y teli,
Seiniwch fawl ei henw hi.
Diolch iddi byth am gofio
Beth ŷn nhw a phwy ŷm ni.

DIC JONES

58

I WRAIG FONHEDDIG
NEUADD LLANARTH

(Am gau gafr yr awdur mewn tŷ dros ddau ddiwrnod,
am y trosedd o bori yn rhy agos i'r plas)

Y rhawnddu, fwngddu, hagar,
Beth wnest ti i'th chwaer, yr afar?
'Run gyrn â'th dad, 'run farf â'th fam,
Pam rhoist hi ar gam yng ngharchar?

EVAN THOMAS

BEDDARGRAFF DYN HYLL

Yma gorwedd Ifan Tomos,
Hagr iawn o bryd a gwedd;
'Rôl ei farw, rhoddwyd iddo
Le i harddu yn y bedd.
Ond ar fore'r atgyfodiad
Fe ddaw hwn i'r lan, mi wn;
Gabriel waedda yn ei syndod –
'Arglwydd mawr, ple cest-ti hwn?'

ANHYSBYS

Y MWNCI

Incwm ni roed i fwnci – llwyd ei wedd,
   Na dillad abl, ffansi,
  Hagr iawn ydyw'r gŵr heini,
  O'r un âch â Mari ni!

MORGAN PRICE

WRTH EDRYCH AR HIPOPOTAMWS

Ni welais i 'run anifail
Mor hyll â hwn ers tro
Ond mae'n siŵr mai'r un geiriau'n union
Sy'n mynd trwy'i feddwl o.

DYLAN JONES

Y PLORYN

Adeg Eisteddfod Llandeilo, ymddangosodd ploryn
ar dalcen y bardd.

Ym mis Awst, 'sdim siesta
i dîm o Daeogion da,
y tîm yn y 'steddfod hon
a wysiwyd i'r ymryson.
Aladin y cwpledi
â chorun iach yr o'wn i,
ond lle bu bardd mor harddwych
a doeth, drannoeth yn y drych,
lle bu ond Enlli o bỳs,
yno safai Fesiwfiys
a cheunant o grachenwaith
yn y môr o lafa maith;
pwdin gwaed a wnaed o'm nỳt,
(adborth i farddol hedbyt?)
roes aflwydd hwnt i'r Savlon
ar gopa yr Wyddfa hon;
troai'r briw yn watwar bro –
'Llawn Daleks yw Llandeilo'!
Hwn dystiai i'm Bwdistiaeth
yn ôl dau o'm 'ffrindiau' ffraeth.
A'm talcen slip yn dipiau,
mwya'r hwyl gâi'r camerâu:
wele nỳt Dylan yn iach,
Ceri Wyn yn fardd croeniach
ond y llun ploryndrist llwyd
hyd y wlad a deledwyd.
Gerallt, yn llawn trugaredd
o weld ofn y tlawd ei wedd,
roddodd ddeg i fardd oedd hyll;
yn y man, cawsom ennill!

63

Ac felly, hen gyfeillion,
seriws iawn yw'r foeswers hon
wrth galon prydyddion da –
i ennill wrth ymrysona
a bod ar brifeirdd yn ben,
yna tolciwch eich talcen!

EMYR DAVIES

MISTÊC YW TYFU MWSTÁSH

Geneth ddeudodd yn gynnil:
'Ma Dou', da vourrou zo vil!'★
Es adra, es i edrych,
i graffu'n iawn draw'n y drych,
ar fy wyneb rhufeinig,
ar wyneb aur, ar ên big,
ar wefus, ar drwyn reufardd,
fel Charlton Heston o hardd . . .
Ond be' welwn dan hwnnw,
yn hir fel llaw, ar fy llw:
hunlle o beth gwifrenllyd,
y llwyn bach hylla'n y byd,
a'r uwd oer ar ei hyd o,
y tameitiach tomato,
miloedd o bethau melys,
a reis a sbam ers oes pys,
pennog yn strempiau yno,
a hen saws gwyn er cyn co',
a letys a phys a ffa,
tocyn o jicin tica,
a hufen a chawl cennin,
hen gaws du, a langwstîn.
Gwelwi a wnes o gwilydd,
a braw, ac addo yn brudd
y trown rasal trwy 'nhrawswch,
a'i dorri oll yn ei drwch.
Ac wele, daeth i'r golau,
ddyn hardd saith mlynedd yn iau!

TWM MORYS

★ 'Duw, mae dy fwstásh di'n hyll!'

CANOL OED

Mae canol oed – mae o'n sefyll i reswm –
Hanner ffordd rhwng y cewyn a'r crematoriwm.
Ond nid y chi a fi'n sy'n penderfynu
Pryd mae bennu'n dechre ac mae dechre'n bennu.

Ond os ych chi'n cael ffwdan i ddiseido
P'un ai ych chi'n ganol oed ai peidio:
Os yw botwm eich bola chi'n cwato bysedd eich troed,
Yna 'chi wedi cyrraedd y canol (oed)!

DIC JONES

66

HENEIDDIO

Does neb 'di gofyn i fi am ID
Ers Steddfod Builth yn 93;
Adeg honno roedd peint yn llai o bunt
Ac o'n i'n medru meddwi yn rhatach a chynt.
Erbyn hyn mae 'nghylch i'n dipyn llai –
Pawb 'di priodi heblaw un neu ddau;
a phawb gyda'u phramiau trendi drud
yn aros 'fo'r teulu mewn carafanau clyd
yn trafod hanfodion y *baby wipe*
a be 'di'r peth gorau at drin *gripe*;
yn edrych ymlaen at y sêl *baby Gap*
a byth bellach yn ynganu'r gair *crap*
rhag iddyn nhw bechu y rheini sy'n cyfarth
a chytuno, ydy'n wir, mae meddwi yn warth!
Ond yn warthus, dwi'n dal i feddwi a chredu
Mai ugain yn unig ydi fy oed i
A dwi efo'r arddeg-blant yn yfed yn ffri –
Hooch, lagyr neu *Smirnoff* draw yn Maes B.
Ond bellach, a finna mor agos i 'nhridegau
dwi'n gweld llwyth o feddwon dwi'n cofio mewn clytiau.
Ma'r hogiau del i gyd yn *eighteen*
A mae'n ddiawl o job cofio mod i LOT yn hŷn.
Er gwaetha fy mhrofiad sgenna'i ddim gobaith
i ddenu rhyw bishyn, yn y fath gystadleuaeth.
Ma' mronnau i'n dechra suddo am lawr
A 'ngholestrol i'n prysur dyfu'n fawr.
Efo trwal y bydda i'n cymryd oriau
I blastro'r colur er mwyn cuddio'r crychau.

Mae'n anodd mynd ati i gyfarch
dwi'n gorfod codi llaw fel hyn,
achos os dwi'n chwifio o ddifri
mae gen i fflaps symudol *bat-wing*!

Bob tro dwi'n teimlo fel sesiwn
rhaid dechre *immacio* yn 'pnawn –
rhaid siafio y coese a'r ceseiliau
cyn taenu'r hufen yn iawn.
'Rôl gor-siafio y mannau bach tyner,
does na'm byd mwy hyll na chael spotiau coch
lle bu gynt eich bicini mwstash.
Dwi'n cadw Boots mewn busnes efo'n nhweezers –
rhaid plycio'r hen flew os yn ddoeth,
mae'n dasg fel chwynnu Gardd Bodnant,
cadw ngwefus a 'ngên yn noeth!

Ond 'snam pwynt achwyn am henaint –
dwi 'di tyfu allan o 'mhlorod;
Hanner llawn yw fy ngwydr o hyd,
Ond cyn hir bydd yn dal fy nannedd gosod!

NIA MÔN

LIMRIG

Wrth deithio un tro trwy Gwm Dugoed
Fe welais hen gariad fy maboed
   Yn stiff a di-ddant
   Ond er bod o'n gant
Roedd ganddo'r un chwant yn ei henoed!

MENNA MEDI

Y JACWSI

Roedd Meri Jôs yn ddynes fawr
Yn tynnu am ei ffiffti.
Meddyliai am y dyddiau gynt
Pan oedd yn fain a lysti.

Priododd Jac yn ddeunaw oed,
A chafodd chwech o feibion.
Lle cynt yr oedd fel haul y dydd
Mae nawr ym myd cysgodion.

Mi aeth am dro i lawr i'r dre
I siopa rhyw ddydd Mercher,
A gwelodd yno Sylvia Pugh
Sy'n briod â rhyw fancar.

Edrychai honno'n bictiwr tlws,
A'i chroen fel papur sidan.
Ei ffigyr, wel, yn blydi grêt
I ddynes ffiffti – fodan.

Edrychodd Meri arni'n syn
O feddwl am ei hunan,
A gofyn iddi, 'Sylvia bach,
Sut wyt ti mor groen-lân?'

'O! Mary,' meddai Sylvia'n syth,
'Rhaid dweud, y snob ag ydw i,
Y *secret* yw, heb os,
Heb os, yw jacwsi.'

Fe neidiodd Meri'n syth i'r bws,
Aeth adra, do, fel melltan,
A thynnu amdani wrth y drws.
Edrychodd Jac yn syfrdan.

Cyn i'r hen greadur yngan gair,
Fe'i llusgodd tua'r gwely;
Ac yno y buont am oriau maith,
A waliau'r tŷ yn crynu.

Rhyw wythnos wedyn yn y dre
Fe welodd Sylvia eto,
A Meri tro 'ma'n ysgafn droed
Fel haul y dydd yn sgleinio.

'O, Sylvia bach, dwi'n teimlo'n well,
Lle cynt ro'n bron â drysu.
Y *secret, secret* ia wir
Ydi gwneud i Jac ni chwysu.'

JOHN OGWEN

LIMRIG

Mae'n anodd iawn lladd unrhyw chwannen,
Mae'n symud ynghynt na malwoden,
   Ond mae Mari'n eu dal
   Rhwng ei bola a'r wal
A'u gwasgu mor fflat â phancosen.

OWEN JAMES

DYHEAD

(Cyflwynedig i goffadwriaeth Cynddelw Brydydd Mawr)

O am fyw yn glyd a diddan
Tan ymbrelo newydd, sidan!
Yna hwylio'n ara', ara'
Lawr yr afon mewn tun bara.

Teimlo'n ddedwydd anghyffredin
Am na roddir gwlân mewn pwdin;
Am fod modd i smwddio coler
Drwy ei roddi dan stîm roler.

Ceisio meddwl faint o niwed
A wnâi diod fain i ddefed;
Rhifo'n ddistaw pa sawl llyffant
Ŵyr y ffordd i gynnig gwelliant.

A yw porthmyn Sir Feirionnydd
Wrthi'n goglais traed ei gilydd?
A oedd Nebuchodonoser
Weithiau'n arllwys te i'w soser?

Haul uwchben yn gwenu'n serchog,
Fel pe newydd dderbyn ceiniog;
Ceiliog bronfraith yn telori
Am fod Jane, y wraig, yn gori.

Bywyd hapus, bywyd diddan,
Tan ymbrelo newydd, sidan;
Dal ymlaen i hwylio'n ara'
Lawr yr afon mewn tun bara.

IDWAL JONES

DAFYDD A SIANI

Roedd Dafydd Tynant yn ddyn anghyffredin
Priododd â Siani yn Eglwys Cilrhedyn,
  Ymadawodd y ddau; ar ôl y clymu
  Fe glywais Dafydd yn ymresymu –
  'Dos di tua thre' i roi bwyd i'r moch,
  A chofia odro am chwech o'r gloch.'
Roedd Dafydd Tynant yn ddyn anghyffredin,
Aeth ef am fis mêl, caiff Siani fynd wedyn.

JACK H. DAVIES A D. JACOB DAVIES

74

DYNION

Dwi'n mynd lawr allt
'chos dwi jest ddim yn dallt
bali dynion.
Ella mai fi sy'n wirion,
Ond ar ôl y boi dwytha
Dwi mond isio mwytha.
Haws byw ben fy hun
Efo cath yn lle dyn
Wir yr, di'r hen bwsi
ddim hanner mor ffysi.
Mae'n byta llai
byth yn gweld bai
wastad yno
byth yn cwyno
gallu edrych 'rôl ei hun
mynd yn gallach wrth fynd yn hŷn,
byth yn mwydro am ffwtbol
na'n 'marw' os 'di'n symol.

A phan dwi'n hwfro dan gwely
gwell ll'godan 'di pydru
na thrôns 'di crebachu.
Ond, mae'r cloc yn tician
dwi bron yn hen wreigan
ac os dw'isio magu
tân dani i fachu.
Ond dwi'n drideg naw
ac mae'n anodd ar y naw
cuddio 'ngwallt gwyn
a'r ffaith fod 'y nhrowsus i'n dyn.
Dyla bo fi 'di sylwi cyn hyn
ond mi nath effaith grafiti
ar frestia 'ac ati'
'nhaflu fi dros nos.

75

Dwi'm yn bod yn jocôs
mae'n drychineb!
a ffolineb
fysa trio edrych yn iau
mewn hipstars sy'm yn cau
a mynd allan mewn fest
sy prin yn cyfro fy chest.
Dwi'm isio heneiddio
ew, hen beth cas 'dio.
Ond ar yr un pryd
mae 'mywyd reit glyd
cael gneud be dwisio
pan dwi licio,
a chael fflyrtio
fel dwi'n teimlo.
Gwallt gwyn? Pwff!
Nice an' Easy – 'na chi stwff.
Slimfast, letus, hwdwch gic
Dwi'n teimlo'n ffantastic! –
ma' 'nhrwsusa i gyd â bolia lastic.

Dwi'm yn barod o bell ffor'
i wynebu'r allor
a deud 'y gwnaf'
neud fy hun yn slaf
i ryw goc oen blin
s'isio cic yn ei din
a'i gariad at *four pack*
di sbydu ei *six pack*
sy'n taeru 'fo rheg
mai mêts William Hague
neu dre'n y Canêris
ydi blincin clitôris.
'Na fo ta, dwi'n gwbod
yn f'isymwybod
mai'r peth calla i mi

di toiboi twenti thri
sy'n ddall ond yn gry'
ac yn barod i ddysgu
ble mae'r petha sy'n cyfri.

BETHAN GWANAS

GARDDIO

Y gŵr a arddo'r gweryd
a heuo faes, gwyn ei fyd?
Bolycs! Os ydwyt balwr
onid wyt yn drist o ŵr?
Mudo ar ras am y dre
yw y syniad ges inne,
a dod o raid wnes i drin
un o erddi Caerfyrddin.

Mi weles ardd drws nesa'
llawn letys a phys a ffa,
a finna'n ôl yn fy nhŷ
â chwyn yn f'amgylchynu.
Rhyw lain orlawn o hirlwm
ydyw'r ardd, a'r eira'n drwm
ar fy llain, ac ar fy llw
barrug a phiso bwrw!

Roedd yr haul dros ardd y rôg,
y Medwyn o gymydog.
Ei bwys o fylbs yw ei fyd
a'i fower yw ei fywyd.
Swyn hwn yw weiars a nets,
hwn yw prifardd y prifets!
Bowering y tybiau hirach
a Thrower y border bach.

Rhyw ardd ir a ddaw o'i waith,
daw, o gompost, ei gampwaith.
Rhyw ardd o wyrth yw'r ardd hon
yn agor gan blanhigion.
Ni ŵyr chwyn ei pherchennog,
cânt well bridfa gyda'r Gòg.

Yma mae chwyn mwy na mall,
y rhai ysgafn yw'r ysgall!
Mawredd, mae i'r mieri
wraidd o ddur yn fy ngardd i.
Â'r chwyn obry yn lluoedd,
B&Q o banic oedd.
Yno i'r siop yr es i
i fygwth ymarfogi.
Gweld hadau, a llyfrau'n llu
o lunia' sut i'w plannu;
rhaid o hyd siarad eu hiaith,
plannu neges planhigiaith!

Manage your veg with free verse,
Begonia for beginners.

Fe blennais bysyn unwaith –
oedd, yn wir, roedd hynny'n waith
ynddo'i hun, rhyw bysyn bach,
un crwn a gwyrdd, un croeniach.
Er hired, garwed y gwaith,
ni welais mo'r pys eilwaith,
rhyw bysyn di-ddweud, unig
heb erioed gyrraedd y brig.
Gwneud *sod ôl* ond bodoli;
mae yno'n awr am wn i!

Fy rhaw o hyd, ofer yw
a 'nhŷ gwydyr, gwag ydyw,
a dim iot o domatos
ynddo yn awr ddydd na nos.
Mwy na mŵg o law mewn mis
a'n lawnt sydd fel Atlantis,

mae 'di darfod ar flodyn
ond iach o hyd yw y chwyn.

Y mae adar yn mudo
draw o Hawaii i'w dir o,
ond maent yn gwrthod codi
o Blwmp at fy rwbel i,
'run fwyalchen, 'run wennol
na'r un tit yn awr yn 'tôl.

Rhyw chwarter acer yw hi,
anfadwaith dirifedi
o fethiant, nid gardd fythwyrdd
yw'n un i, ond byth yn wyrdd.
Ond rhag dodwy mwy o'r *mess*,
mewn dwy awr minnau dorres
yn ddi-feth bopeth, nes bo
fflamau yn dod o'r Flymo.

Na, nid lladd gwair, ond lladd gardd
a wnaeth ynfyd fethianfardd.
Y gŵr a arddo'r gweryd
a heuo *fess*, gwyn ei fyd!

TUDUR DYLAN JONES

LLNAU

Mi ges i fy ngeni'n mis Medi:
Hel mwyar, hel llus a hel cnau ...
Ond wyddwn i sod ôl am hynny:
O'n i'n rhy brysur yn llnau.

Ges i 'ngeni efo dystar yn un llaw
A handlan dau frwsh yn y llall,
Ac yn ddyddiol ers hynny mae'n rheidrwydd
I mi frwshio a sgwrio'n ddi-ball.

Pob rỳg wedi ei guro at syrffad,
Pob hafn rhwng y plancs yn ddi-fflyff,
Dwi lawr ar 'y mhedwar mewn menyg pinc rwber
Yn rhwbio nhw lawr yn reit ryff.

Dwi'n hwfro pob nenfwd, pob cornis,
Pob sgyrtin tu ôl y Ti Fi,
Dwi 'di chwythu'r Electrolux newydd –
O'dd y lîd yn rhy fyr, welwch chi.

O'n i'n trio rhyw lun o sbring-clînio
Y sied lawr yr ardd, yn pen draw,
Ond ddechreuodd hi lawio
A'i lîd ddaru dampio
A ffrwydrodd y diawl yn fy llaw.

Dwi di trio sawl un ar y farchnad –
Rhai 'fo cwdyn bach ciwt, rhai 'fo un mawr,
Ond yr un heb gwdyn o gwbl
Yw'r un sy'n fy llaw i yn awr.

Mae'r beipen yn stretjo fel lastig,
Yn cyrraedd pob crani a nwc,
A deuddeg gwahanol *attachment* –
Wel, dyna be dwi'n alw'n lwc!

Talsyth a chwim a'i berfformiad yn gyson:
'Sdim yn sugno fatha Dyson;
Parazone ac ar fy nglinia,
Ffedog lân o gylch fy nghluniau,
Porcelain y pan yn sgleinio,

81

Dan y rhimyn yn disgleirio,
'*U*' yr *U bend* yn ddihafal:
Tampons, cyri, pips dwy afal,
Does dim byd yno'n cael sticio,
Yn fy mheipen ni chânt lingro.
Er i'r *downpipe* gael ei bocsio
Fyddai yno yn ditocsio:
Pob ogla drwg, pob rhech, pob whiff
Fyddai yno efo'n Ji . . . na sori, efo'n Siff;
Dwi'n gwbod ei fod o'n obsesiwn
Ond dwi'n Virgo byth beunydd yn llnau . . .
Fyddai'n sgwrio a sgrwbio, Harpicio a Fflashio
A wedyn dwi'n newid y gwlâu.
Mae'n boen, mae o'n benyd, mae o'n boendod –
Wnawn i rwbath i fyw efo baw,
Ista'n ôl tra mae'r llwch yn cynyddu
A gollwng y dystar o'm llaw.
Wel, chwe mis yn ôl ges i fabi –
Mae'r tŷ nawr â golwg y ffwc:
Mae na jiws, mae na grystiau,
Poteli, tegana, dillada, banana,
Hen rysgs ar y walia,
A fawr neb yn galw, wrth lwc.
Dwi'n lafoerian o 'mhen at 'yn sgidia,
Yn stremps dros fy sgwydda'n bob man,
Pob mat yn bi-pi ac yn llefrith
A napis 'di peilio 'rhyd fan.
Mae o'n chwydu a sgrechian
Yn cachu a rhechan –
Ond pan mae o'n gwenu, dwi'n wan.
'Sgen i'm amser i folchi, llnau 'nannadd,
Dim amsar i fwydo'r hen gath,
Rhen bwsi sy'n mewian
Yn pyrian a chnewian
Yn rhwbio fel twmffat, yn despret am Go-cat –
A weithia dwi'n teimlo 'run fath.

82

Wel wir, dyna fo, fe ddaeth Lewys
A phob dim yn newydd ar 'naw –
Mae o'n llenwi fy mywyd, un budr ond hyfryd,
A ninnau yn hapus mewn baw.

NIA MEDI

TAFOL CYFIAWNDER

Pan elo llanc ar wyliau
Y mae'n ymarfer ffôl,
Waeth pa mor boeth y dyddiau,
I noethi ei ben-ôl.
Ar draethau Groeg fe allai gael
Tair mil o ddirwy, neu y jael.

A phe bai hithau'i wejen
Yn dewis tynnu'i bra
Er mwyn claearu'i chefen
Yn ffwrnes wres yr ha',
Dwy fil o gosb a gâi yn siŵr,
Neu fyw wyth mis ar fara a dŵr.

Annhegwch, yn ddiamau,
A wneid ag ef a hi,
A cham ar ein safonau
Gwleidyddol gywir ni,
Bod prisio gwarth rhan isa dyn
Yn fwy na gwerth rhan ucha'i fun.

DIC JONES

GWELY

Un tawel, sengel i sant – neu i'r bardd
A'r boi gaiff yswiriant;
Ond i feinwen dy fwyniant –
Dwbl un a haid o blant!

TYDFOR

85

FEDRA' I DDIM AR HYN O BRYD

Roedd y bath yn llawn ac roedd y mab hanner y ffordd i mewn iddo yn ei ddillad gorau. Roeddwn innau ar fin galw ar ei fam i ddod ar frys i fyny'r grisiau i wneud rhywbeth i'w achub, pan drawodd y syniad yma fi yn fy nhalcen − pam na fuaswn i'n gwneud rhywbeth ynglŷn â'r mater? Y drwg oedd fy mod ar y pryd yn brysur ofnadwy yn canolbwyntio ar y gwaith dyddiol hollbwysig hwnnw − shafio. Yng nghanol ein mân orchwylion, rydan ni mor barod i wneud esgusodion cwbl ddealladwy, cwbl ddynol dros wneud dim byd.

Mae tad y nawdegau o wahanol frid
Medd comics merched − ddim mor ddi-hid
O gylch y tŷ, ac mi rôi ffîd
I'r babi 'tae ganddo fronnau. Mi wnawn
Innau 'run modd petae'n nhw'n llawn;
Dwi'n bathio, newid clytiau, debyg iawn;
Myfi sy'n siglo'r crud o hyd, o hyd,
Ond fedra' i ddim ar hyn o bryd
− Dwi'n shafio.

Mae'r bychan wrthi'n stwffio'i fawd
I fyny trwyn y gath, tra bod ei frawd
Yn cuddio llawr y gegin o dan flawd;
Mae'r swper yn y popty ers cyn cof;
Mae'r bîns yn berwi'n ddu ar ben y stof
A phan ddaw gwaedd, mi fydda' i'n mynd reit ddof;
Dwi'n rhoi fy amser drud o hyd, o hyd,
Ond fedra'i ddim ar hyn o bryd
− Dwi'n shafio.

'Wnei di fynd â'r plant am dro?
Torri priciau, llenwi'r bwced glo?
Mae eisiau chwynnu'r ardd ers tro . . .
Dyw'r pan lawr grisiau ddim yn fflysho;

Mae'r tap yn dripian, wnei di rysho?
Mae golau coch yn fflachio yn y Pŷsho . . .'
Mi wnaf i hyn i gyd o hyd, o hyd,
Ond fedra' i ddim ar hyn o bryd
– Dwi'n shafio.

Mae rhywun eisiau pennill ar y ffôn;
Y mae rhyw bwyllgor heno'n ôl y sôn
A dw' innau awydd gweiddi 'Pogmohôn';
Mae'r *North Wales Weekly** angen cic;
Mae'r Blaid yn galw am ganfaswyr slic;
Mae Cymru eisiau'i safio – a hynny'n gwic;
Dwi'n sgwyddo pwysau'r byd o hyd, o hyd,
Ond fedra' i ddim ar hyn o bryd
– Dwi'n shafio.

MYRDDIN AP DAFYDD

* a'r Swyddfa Gymreig, y Torïaid, yr R.A.F., y Cyd-bwyllgor Addysg, y Comisiwn Coedwigo, adrannau cynllunio, Bwrdd yr Iaith, y Parc Cenedlaethol, Kinnock a.y.b. – gellir ychwanegu rhestr go faith yma a dweud y gwir!

PAN LYNCODD Y BABI YR INC

Roedd hi'n ddiwrnod o haf yn Llanrhaeadr
A'r ficer wedi blino fel pren;
Pennod arall o Lyfr y Datguddiad
A dyna'i holl lafur ar ben.

Ar hyn clywodd sŵn wrth ei ymyl
A throdd i gael gweled beth oedd:
O'r pot inc y babi a yfai,
'Sdim rhyfedd i'r ficer roi bloedd.

A dwrdio ei wraig gan ei holi
'Pa fodd – ac atebwch mewn chwinc –
Gallaf orffen cyfieithu'r Datguddiad
A hwn wedi yfed yr inc?'

Fe yrrwyd y gwas i dre 'Mwythig
Am ragor – doedd defnyn yn nes –
Ac am weddill y dydd bu'r hen ficer
Yn taranu, ac yn uchel ei wres.

Y gwas bore trannoeth ddychwelodd
Yn blygeiniol, a'r inc yn ei law,
A'i feistres aeth gyntaf i 'stafell
Y babi – a grïai'n ddi-daw.

'Rôl edrych yn gloi ar ei glwtyn
A gweld bod ei liw yn blw-blac,
Aeth i 'stafell ei gŵr ar ei hunion
A'i ddihuno gan ddwedyd yn grac

'Dos ymlaen â chyfieithu'r Datguddiad,
A phaid â dy rwgnach, y crinc,
Rhaid i mi fynd i nôl dŵr a sebon
Canwys wele – datguddiwyd yr inc.'

TEGWYN JONES

HWIANGERDD

Si hei lwli 'mabi, mae'r golau'n mynd i ffwrdd,
Si hei lwli 'mabi, mae'r tedi ar y bwrdd,
Si hei lwli, lwli lws, cysga di fy mabi tlws,
Si hei lwli 'mabi, mae'r golau'n mynd i ffwrdd.

Si hei lwli 'mabi, paid troi y golau mlaen,
Si hei lwli 'mabi, dwi di warnio ti o'r blaen!
Si hei lwli, lwli lws, ti 'di bod ddwy waith am pŵs,
Si hei lwli 'mabi, mae dy dad dan ddiawl o straen.

Si hei lwli 'mabi, paid crio nerth dy ben,
Si hei lwli 'mabi, bydd ddistaw, nefoedd wen.
Si hei lwli, lwli lws, dwi am fynd a chau y drws,
Si hei lwli 'mabi, *I'll start to count to ten!*

Si hei lwli 'mabi, paid â bwrw 'nhalcen i,
Si hei lwli 'mabi, mae'n hanner awr 'di tri,
Si hei lwli, uffar dân, ti fod i gysgu wrth glywed y gân!
Si hei lwli 'mabi, ond dwi'n dal i'th garu di.

TUDUR DYLAN JONES

RAS

Dau yn unig oedd yn y ras,
Sammy *Rose Bank* a Ned Tŷ Glas.
Traed chwarter-i-dri
Ned Bach aeth â hi,
Er 'u bod nhw mewn clocsia'
A thylla' yn y gwadna',
Ac er bod 'i goesa', druan o Ned,
Mewn hen drowsus i'w dad, un melfaréd,
A hogyn *Rose Bank*
Yn goblyn o lanc
Efo'i 'sana'-beic
A'i esgidia' speic.

Pedwerydd oedd Sam.

'Y? Be'?
Ped-? Pe-?
Yr hen lolyn, gwranda,
Dos yn d'ôl i'r dechra'.
Pwy ddwedaist ti gynna' oedd yn y ras?'

Dim ond Sammy *Rose Bank* a Ned Tŷ Glas.

'Dau. Dim ond dau i gyd.
Felly, sut yn y byd . . .'

Yn y byd, be'?

'Y mae 'na le
I stwnsian am drydydd,
Heb sôn am bedwerydd.
Doedd ond dau yn rhedeg . . .'

'Waeth hyn'na na chwanag,
Pedwerydd oedd Sam.

'Ond gwranda, go fflam,
Dau yn unig oedd yn y ras . . .'

Sammy *Rose Bank* a Ned Tŷ Glas.

'Ia, ia, mi wn i hynny,
Sammy Rose Bank a Ned, ac felly . . .'

Pedwerydd oedd Sam.

'Ond gwranda, y dyn,
'Wna dau a dim un
Ddim pedwar
Un amsar . . .'

Pedwerydd oedd Sam.
Roedd 'i dad a'i fam
Yn rhedag bob cam
Wrth ochor 'u Sam.
Roedd 'i Dadi a'i Fami
Fel arfer efo Sami,

A phedwerydd oedd Sam.

T. ROWLAND HUGHES

SIC NÔT

Annwylest Miss Macklusky

Dw i'n sgwennu ar ran Karl gan nad yw o'n 'rysgol heddiw
– wel, ma'r hogyn eto'n sâl! Roedd o'n ddigon symol hefyd
i golli ddoe – ddydd Llun, a dw i'n ama a ddaw o fory, tydi
o ddim yn fo ei hun. Mae'n hogyn cry fel arfar, a dw i'n poeni
a deud y gwir o'i weld o'n llwyd fel ash trê, a tydi o ddim
yn cysgu'n hir. Pum munud ar y mwya ac mae'n deffro'n fflyshd
i gyd cyn troi a throsi'n chwyslyd fel sosej poetha'r byd!

Ond wir, dw i weithie'n ama' nad ydi o'n sâl go iawn, ac na
fedar doctor normal mo'i wella fo yn llawn; ei fod o'n sâl o
gariad a'n diodda o symptoma' serch – wel, nid fo sa'r hogyn
cyntaf i golli cwsg, a'i ben, dros ferch! Achos neithiwr es i'n
dawal am sgowt yn 'roria mân, 'mond i weld a glywn i'r
enw oedd yn rhoi ei groen ar dân. A wir dw i'n deud
gwirionadd – Miss Macklusky coeliwch fi – mi glywais i y
mab 'cw yn gweiddi'ch enw chi!

Ac felly, ga i ofyn am un gymwynas fach, i drio helpio'r mab
cw rhag diodda mwy mewn strach? Beth am wisgo sgert
sy'n hirach a llai o flyshyr ar eich boch? A beth am beidio
marcio'i waith yn rong â swsus coch? Neu gwell fyth ta,
gwisgwch drowsus – rhai bagi, slac fel sach. Fasa hynna'n
siŵr o helpu i gadw'i hormons yn fwy iach.

Os na, wel, fe wnes i drio – ond ydw i'n lot rhy hwyr? A
Karl bach fi yn hollol *lost* – *in love and lust* yn llwyr. Os felly,
rhaid fydd trio rhwbath arall cyn bo hir, fel ei anfon at Miss
Davies Maths – ma honno'n hyll yn wir!

Ond am rŵan, Miss Macklusky, dw i'n gofyn er mwyn fo –
chi'n siŵr o beidio deud wrth neb?

Mewn gobaith,
Miss Monroe.

GWION HALLAM

OVER THE LLESTRI

Haia, has the gloch gone?
Ugh! My dosbarth cofrestru's got
gwasanaeth this morning.
I've forgotten my llyfr emynau anyway.
I've got to go to the Swyddfa
to fill a ffurflen hwyr.
Don't see the point
cause I'm 'Yma' now.
I hope they haven't called me on the tanwydd
cause I wanted to wag Cofnod Cyrhaeddiad in the bog,
or the Llyfrgell.

What are you doin' for Gweithgareddau?
Blodau sych or Fideo Cymraeg?
I did Garddio last year.
And have you paid your blaendal for the gwibdaith?
I've forgotten my ffurflen ganiatâd and my ffurflen B
but I'm going to Alton Towers.
It beats Castell Harlech.

Have you done your Gwaith cartre in Gwyddoniaeth
    on the Mwynau?
Can I see your taflen
to copïo fyny the gwaith dosbarth
and the arbrawf?
What was your canlyniadau?
And don't mention Hanes. I hate Hanes.
We'll probably have to do Sbwriela,
around the Cae Bob Tywydd
and the cabanau for a whole tymor.

What did you get in your Prawf Barddoniaeth?
Well she can't breathe on me
cause I've done my Gwerthfawrogiad

on the 'Smotyn',
and I've learnt what an englyn is,
how many sills its got,
and I've watched 'Traed Mewn Cyffion'.
I'd be dead good at Cymraeg
if the treigladau weren't there.
They should be scrapped.
Treiglad trwyn or something
it does my 'ead in.

Hey, she's a right slebog, Madonna, isn't she –
Have you seen her new book – 'Rhyw'?

Have you done all your gwaith cwrs then?
We've got the arholiad llafar soon.
No, not in the Gampfa.
The TGAU's will be there.
She wants us to siarad un wrth un with me
this arholwr about my diddordebau.
What's your diddordebau anyway?
Mine's gonna be 'Rhyw', like Madonna.
Hey, if I say that for my Cyflwyno gwybodaeth
I'd have to take the arholwr to the Stafell Feddygol
for a gorffwys.

Are you staying on for the Chweched?
Loads of gwersi rhydd, and a caban and a cell.
Where are you goin' on your Profiad gwaith?
Ugh, they're sending me to some swyddfa
where I'll have to be dwyieithog
and do some kind of cyflwyniad when I get back.
And it's getting me down
cause you know, I never speak a word of Welsh.

ALED LEWIS EVANS

MAE CYNGHANEDD YN LYSH

Mae gyd o ffrindiau ysgol fi yn dweud i fi fi'n sgwâr,
Ond onest, ma'r Cynghanedd peth ma'n rili troi fi ar.
Mae ddim fel fi yn swot na dim, neu'n Welshy kinda geek,
Mae jyst yn peth fi'n dwlu ar, sy'n kinda gneud fi'n freak.

Fi gyda Odliadur ac mae odliadu'n 'fun'.
Mae Cynghanedd i'r dead serious, a credu fi, fi'n!
Rhai weithie mae'n rhy gormod i cadw e mewn fy hun,
Fi'n eisiau, even ysu . . . Hei gweld! Mae hwnna'n un!

Fi'n gwneud fe yn y bore, fi'n gneud fe yn y pnawn,
Ac un dydd bydd fi mewn y Cadair pan bydd fi 'di gneud
    e'n iawn.
Fi'n cael e bois, fi'n cael y nac, fi'n cael i gyd o'r iaith,
Ac unrhyw ffordd, mae motto fi'n 'Hir byw am Canu Caeth'.

CARYL PARRY JONES

STOP AR MIXIO SAESNEG

Ymgom rhwng hwntw o Fynwy a Rolant o Fôn.

Rolant.–Pobl ryfadd gynddeiriog ydach chi y Cardis acw; ddaw yr un gair o'ch safna mwy na gwniadur nad yw un hannar iddo yn iaith fain sir Aberteifi, yr ail hannar yn Gymrâg, a'r hannar arall yn rhyw hannar Sasnag. Be'r andros ddaeth atoch i lygurnio Cymrâg, ac i dorri eich geiria mor ddidoriad?

Hwntw.–Giafr am myto i, Rolant, brain o beth yw clŵed shwd gabolach â hina. Otich chi yn gweyd celwdd, y dyn! Dyshyfon i! Anwir bob licyn yw gwêd fel 'na. Otw i'n gweyd pŵer o wir, wrth wetyd mai ni, ngwas i, sy yn cadw yr hen iaith yn fiw, ac hebom ni mi farwe mewn gwarter blwyddin. Gâd dy lap, Rolant, y chi sy'n mixo Saesnig, y machgen mowr i.

Yn Canu:–   I gadw'r iaith Gymrâg,
             Rhag myn'd i *ruination*,
         Mae eisio *system* well
         I *spreado education*.
         Mae *mention* yn y *South*,
            Am gwnu* *institution*,
         Neu *Grammar-school* Gymraeg,
          I *stoppo* pob *pollution*.

Cydgan:–   I gadw 'r iaith Gymraeg yn bur,
         Waeth hyny nag ychwaneg,
         Rhaid i bob Cymro ddweud y gwir,
           A pheidio *mixio* Saesneg.

---

* Cwnu ddywed y Deheuwr am godi. Y mae disgyn, esgyn a llawer o eiriau eraill o'r un gwreiddair.

Rolant:–   A minau, *pon my word*,
          Mi leiciwn gael gramadag:
          Y drwg ofnatsan yw,
          Cymysgu *phrases* Saesnag.
          Ac *what a pity* mawr
          Yw gweled Seisnigyddiath
          Yn *spoilio native tongue*
          Hen wlad ein genedigath.
          I gadw'r iaith Gymraeg, &c.

Hwntw:–   *Idea grand* yw hon,
          Mae'r *South* 'n awr yn *broposo*,
          Os eir yn mla'n *straight on*,
          Fel 'rwyf fi yn *supposo*.
          Cyn bydd yr iaith yn lân,
          Rhaid pasio *resolution*,
          Fel 'ro'wn i'n gweyd o'r blâ'n
          I gwnu *institution*.
          I gadw'r iaith Gymraeg &c.

Rolant:–   Peth *awkward* iawn i mi
          Yw dysgu iaith y Seison,
          Ond *by degrees* fe ddown
          Trwy lu o anfanteision.
          Ond *vulgar sophistry*
          Yw gweled *introducio*
          Ryw rigmirôl o air
          Fydd Cymry ddim yn *usio*.
          I gadw'r iaith Gymraeg &c.

Hwntw:–   Pe bawn i'n *teachio*'r iaith
          I'r Cymri nei i'r Saeson,
          Fe wnawn fy *mery best*
          I *servo* 'r *institution*;
          Os dwyn yr iaith yn ol
          I'w phirdeb fyddai eisio,

98

Nis gwn am ddim *at all*,
 Na wnawn i *sacriffeisio*.

I gadw'r iaith Gymraeg yn bir
 Waeth hyny nag ychwaneg;
Rhaid i bob Cymro ddweyd y gwir
 A pheidio *mixio* Saesneg.

CEIRIOG

TRIO DARLLEN SAESNEG

Mae 'reading' yn union fel 'Reading',
Ond dyw 'weeding' ddim cweit fatha 'wedding',
Mae 'lead' fatha 'lead',
Ond 'di 'dead' ddim fel 'deed',
A maen nhw'n dweud mai ni sy'n conffiwsing!

Mae'r 'gh' sydd yn 'through' yn 'W',
Ond 'Ff' ydi o'n 'tough' medden nhw,
Yna 'Y' ydi o'n 'borough'
A hefyd yn 'thorough',
Mae'n thoroughly tough through and through.

Mae 'hate' fatha 'wait' 'nôl ei sain,
Ac mae 'eight' eto'n debyg i'r rhain,
Ond os ewch i'w sillafu,
'Na dasg sydd o'ch blaen chi.
O 'na ryfedd yw geiriau'r Iaith Fain!

CARYL PARRY JONES

100

CYWIRDEB GWLEIDYDDOL

Mae'n rhaid i fi gyfadde, mae'r Sais yn drech na ni
Mewn un peth – bathu termau disynnwyr, ond PC.
Bydd yn dda gan Ddylan Iorwerth gael gwybod nad yw'n
    foel –
Mae'n 'follically challenged', ond mae'n arbed crib ac oel.
A'r pot jam cyrrens duon – 'Oh, Golly!' sdim iws dweud
    'Wog',
(Nid bod 'na ddim cysylltiad, ond mae'n odli gyda Gog!)
Ms yw pob menyw bellach, nid Miss na Missus yw
(A chymryd yn ganiataol eich bod chi'n siŵr o'i rhyw!)
A phan ddaw'n arholiadau does dim methu mwy i'w gael,
Lliniarwyd y siom honno – nid oes dim gwell na gwael.
Ac nid 'fat' yw'r gair am rywun sy'n din a bola i gyd,
Mae 'weight loss problem' ganddo, ond ffatsyn yw 'run pryd.

Ond yn hyn o beth 'dyw Cymru a'i hiaith fawr iawn ar ôl,
Mae'n 'gweithredu'n ddiwydiannol' pan taw'r pwynt yw
    gwneud sod ôl.
A pham 'canolfan iechyd', a neb sydd yno yn iach?
Ac ers pa bryd, dywedwch, aeth closet yn dŷ bach?
Does undyn yn dweud celwydd bellach ers amser hir,
Fydde Jones Glan-graig ei hunan ond yn 'gynnil gyda'r gwir'.
Ac yn ôl Radio Cymru (na fynegwch hyn yn Gath)
Mae 'na le i'w gael yn Lloeger o'r enw Caerfaddon-Bath.
Ond dyw'r term 'gwleidyddol gywir' ei hun yn ddim ond
    con,
Pryd clywsoch chi am wleidydd sy'n gywir yn 'roes hon?

DIC JONES

MANYLDEB

Rhyw fachan disymwth yw Dai.
Mi ddywedodd rhyw fore, '*Good-bye*,'
    Wrth ei wraig fach a'i blant,
    A mi baglodd hi bant.
Mae e'n byw erbyn hyn yn Shanghâi!

'Na, na, Mrs Jones, 'rych chi'n rong.
Nid '*Good-bye*' ddwedodd e, ond '*So long*,'
    Ac enw y lle,
    (Tai fater, yntê),
A dywedyd yn iawn, yw Hong Kong!'

IDWAL JONES

LIMRIG

Roedd dyn bach yn byw yn Hong Kong
Yn hoff iawn o chwarae ping-pong.
    Doedd ganddo ddim bat
    Na phêl, *come to that*,
Deud y gwir, roedd o'n chwarae fo'n rong.

GERAINT LØVGREEN

MARWNAD I DENG SIAO PING

Mae'r henwr Deng Siao Ping,
Olynydd Mao Tse Dong,
Wedi marw yn Beijing
Wrth chwarae'r gêm mah-jong.
Mewn llestr gwerthfawr Ming
Mae'i lwch yn mynd ar long
Achos roedd e'n fath o Ging
Yn Tsieina a Hong Cong.
Nawr, gweddw Mao Tse Dong,
Rhagflaenydd Deng Siao Ping,
Oedd Madam Mao Jiang Tsing,
Wnaeth lot o bethau rong.
Ond sneb yn teimlo ing
Yn Tsieina na Hong Cong
Wrth weld llwch Deng Siao Ping
Yn mynd i'r dŵr o'r llong.

MIHANGEL MORGAN

WRTH GLOI DRWS

Rwy'n aelod o'r Cynulliad –
Mae'n strach y dyddiau hyn.
Rwy'n falch o ffoi i'r toiled
A chloi y drws yn dynn.
Caf heddwch yma i feddwl
Am rywbeth doeth i'w ddweud,
Ac ar y sedd fach yma
Rwy'n gwybod be' dwi'n neud.

JOHN ERIC HUGHES

RHIFAU CEIR PERSONOL

Mae gan ambell un
Faich mawr ar ei war,
'Ŵyr o'm pwy ydio
Nes eith o i'w gar.

JOHN OGWEN

MOTOR BEIC

Mae motor beic 'da William
Triumph, medde fe,
Ond ei ffydd e, neu'i ffolineb
Sy'n dal popeth yn ei le.
Twein a weier yn lle lîfers,
Mae'n rhatlan lawr trw'r stryd,
Os taw dyna beth yw *Triumph*
Wel fe leicwn weld 'Defeat'.

WALDO WILLIAMS

RHYBUDD MEWN SWYDDFA

Cadwch eich tei o'r serocs
Rhag ofn i hwn eich tagu;
Y mae yn beiriant clyfar iawn
Ond ni all eich dyblygu.

HUW CEIRIOG

LIMRIG

Mae'n blesar o'r mwya bod yma,
Yn blesar bod yma o'r mwya,
    Bod yma yn blesar
    O'r mwya bob amsar, –
O diar! be ddweda i nesa?

EDGAR PARRY WILLIAMS

WALTER TOMOS

I luniaidd ŵr y leiniau,
fwynaf frawd, mae'r molawd mau,
hwn yw cawr tîm glew Bryn-coch,
annwyl gan bawb ohonoch;
Bendigeidfran y faner,
yn ei swydd, mae'n un o'r sêr.

Ai un dwl mewn *beret* du?
Na, Adonis sy'n denu
ydyw hwn a'i siaced werdd,
'rargol! – testun arwrgerdd
yw'r dyn fflei, warden y fflag
a'r hudol ddawn i redag.

Brown ei lygaid fel 'Ffaido',
nid twb ei frên, toi-boi'i fro;
un â graen enwogion *Greece*
yw eilun 'Tim O. Walis',
wyneb fel Valentino –
yn ei wên mae'i ffortiwn o.

Bnawn glawog pan fo'r hogiau
yn colli'n deg, ddeg i ddau,
dod fel bwlat i'r fatel
y mae hwn â'i 'give 'em hell';
'Tactic 'de Mistaf Picton?'
'Cicio mwy, midffild c . . . cym on!'

Fflïai Jorj fel 'rhen Fflô-Jô,
yn heriol, cyn ei lorio;
ar ei gefn ym merw'r gad
am Wali y mae'i alwad,
hwn ar sbîd yn chwifio'r sbwng
yw gofyn pob argyfwng.

Hwb i anghofio'r cwbwl
wedi'r boen, mynd draw i'r Bwl,
hir y caent 'rôl amser cau
bentwr anferth o beintiau,
nes i fflyd y Cops a'u fflach
faeddu yr holl gyfeddach
ar eu hunion, o'r anwel,
a rhoi'r bai ar Arthur 'Bell'.

O'i wysio i ŵydd Glas a'i wich,
oedi a wnaeth Glyn Ffidich,
deor plan i waldio'r P'lîs,
(mygu amheuaeth, megis),
o wybod triciau 'Coibois',
hawdd o beth rhyddhau y bois,
a Roy MacCoy oedd y Kid
i ddangos sut i ddengid!

Yn arwr cain y ffrî-cic
a twistiwr shots ffantastic,
daw y siawns un diwrnod siŵr
i Wali droi'n reolwr;
heb stryffig, i'r brig yr â
United – 'Asiffeta!'

Hyn o fawl a ganaf fi
i rwydwr pob direidi,
hwn yw'n trymp o leinsman triw,
hync yr anfarwol 'Ffenciw!'

HILMA LLOYD EDWARDS

111

Y DDAU OLAU AR Y BEIC

(Cyflwynedig i Jack fy mrawd)

Daeth plisman ataf
  Y dydd o'r blaen,
Fe ddywedodd wrthyf –
  "Dyw mo'r golau ôl 'mlaen.'
Fe atebais innau –
  'Paid â bod yn ffôl,
Dim ond i ti sylwi
  Mae'r golau 'mlaen 'nôl.'

JACK H. DAVIES A D. JACOB DAVIES

PONT

(croesi'r ffordd ym Mhrifwyl Aberystwyth, 1992)

Ar gopa'r rhodfa ddrudfawr – yr oedais
    ar fy rhawd lafurfawr,
    yn ddiau treuliais ddwyawr
    yn mynd lan er mwyn dod lawr.

MEIRION MACINTYRE HUWS

EISTEDDFOD ABERGWAUN 1986

O dan draed mae'r mwd yn drwch – yn sicli
    Fel siocled neu bibwch,
I'r hon nid ai'r un hwch,
Efallai, ond yn y twllwch.

MACHRAETH

114

STEDDFOD DINBYCH 2001

Dwi'n ddigon hen rŵan i gofio
bob Steddfod ers Bangor, bron:
Eisteddfod y llwch ac Eisteddfod y mwd –
wel, Steddfod y mobails 'di hon.

Ma' pawb wrthi'n ffonio drwy'r amser
ar ffôn lôn, fel y dywed Mei Mac;
be gythrel ddigwyddodd i sgwrsio mewn pỳb?
a be ddiawl ddigwyddodd i'r crac?

Mi welwch nhw wrthi mewn tafarn –
eisteddfodwyr yn eistedd rownd bwrdd,
bob un yn tap-tapio rhyw neges i rywun
sy' ddim ond rhyw ddegllath i ffwrdd.

Mi es i am dro i'r maes pebyll –
lle briliant am bartis a secs 'dio –
ond pan es i yno, roedd y lle fel y bedd –
roedd pawb yn rhy brysur yn tecstio.

O'n i'n eistedd yng nghefn y Pafiliwn
a'r Coroni yn mynd yn *full swing,*
ond wrth i'r bardd eistedd yn hedd yr Eisteddfod
be glywyd yn sydyn oedd hyn:

bip-bip-ba-dwbi-dwbi-bip-bip
bip-bip-ba-dwbi-dwbi-bip-bip
bip-bip-

'HELO! IE, DWI YN Y PAFILIWN!
BE TI'N DDEUD? MA'R RECEPTION MA'N WAN!
PWY GAFODD Y GORON? WEL PENRI!
TI'N GWBOD, BOI'R MAB DAROGAN!

HEI, BE TI'N NEUD HENO – MEIC STEVENS?
NEU'R FFÔN PARTI DRAW YN MAES B?
OLREIT TE, FFÔN PARTI AMDANI!
IAWN, WELA'I DI! HWYL RŴAN! A CHDI!'

Felly draw i Maes B'r noson honno
yr aethant, ond o, dyna siom;
doedd y ffôn parti yma yn ddim byd i neud
efo Vodafone na Telecom.

Nid *ffôn* parti oedd o o gwbwl,
ond *ffôm*, fatha bybl bath mawr,
a doedd 'na ddim posib cael signal
a lle'mbyd i eistedd i lawr.

Ond yn ôl at fy mhregeth: y ffôns 'ma –
ma' nhw'n bla yn y Babell Lên,
yn niwsans go iawn yn y lle Celf a Chrefft,
a gwaeth fyth, maen nhw'n ffrio dy frên!

Mi fedra i sgramblo f'ymennydd
heb ffonau symudol a'u twrw,
felly sticiwch chi at eich Orange
ac mi sticia i at 'y nghwrw.

GERAINT LØVGREEN

FFONIO'R FET

'Hei, Wil!' mynte Nhad,
'Dos i ffono'r Fet!'

Roedd y mochyn yn gorwedd
yn ymyl y iet.

'Mae e'n sâl,' mynte Nhad;
A dyma fi'n rhedeg
I'r tŷ nerth tra'd.

Roedd rhif Jones y Fet
Lan fry ar y wal;
Ond y cwestiwn oedd,
A own i'n ddigon tal . . .?

Aberystwyth . . . tri . . . pedwar . . . pump . . . un.
A dyma fi'n clywed llais rhyw ddyn!

'Hylo!' mynte'r llais.
'Hylo!' mynte finne.
A dyna hi'n stop . . .
Rown i'n methu cael geirie . . .

'Hylo! Hylo! Pwy sy'n siarad?'
'Y . . . fi. Pwy ydw i? . . . O!
Wil bach ydw i . . . Wil bach, Rhydygo'.
Be' sy'n bod? O . . . y . . . y . . . y mochyn . . .
A ddowch chi lan 'i weld e, mae Nhad yn gofyn?

O diolch, syr. Ymhen rhyw awr?
Mi ddweda' i wrth Nhad, syr. Diolch yn fawr.'

O ie – meddech chi – beth ddigwyddodd wedyn?
Wel, fe ddaeth y Fet ac fe wellodd y mochyn.

T. LLEW JONES

LIMRIG

Mi welais i fustach o'r Hendy
Yn eistedd ar stôl yn y lladd-dŷ
   Â gwn yn ei law
   Am chwarter i naw
Yn disgwyl y cigydd o'r beudy.

LESLIE HARRIES

119

Y TARW POTEL

Mae awydd ein teirw mwyach – a'u neidio
　　Nwydwyllt mewn cyfathrach
Ar ben, cans tric diddicach
Yw'r tiwbin o'r Felin Fach.

TYDFOR

MORFILOD

(Ar ôl clywed am sylw un o Efrog Newydd wrth weld
'*Cheese from Wales*')

'How do you milk *whales?*'

Meddyliwch am y darlun –
Tangnefeddus fôr a morfilod.
Eu mawredd yn y cefnfor,
Yn y don lefn ar eu cefnau,
A dychmygwch wedyn,
Olew a fu fel aur amdanynt
Yn goferu a diferu'n llaeth.
A dychmygwch lefrith
Ar odre traeth,
A'r morfil wedi ei odro.

Nid ar ddamwain na hap chwarae y digwydd:
Cynulliodd holl aelodau seneddol San Steffan
Gyda rhaffau a hofrenyddion
Y Llu Awyr – o Sain Tathan i'r Fali
(Gan eu bod yn berchen ar foroedd Cymru)
A daeth holl berchnogion tai haf
Allan i gynorthwyo.
Abseiliodd newydd-ddyfodiaid ar ffolennau
Gan ganu môr o gân amdano,
A chadwyd dau anferthol
Mewn corlan ddŵr ym Mae Caerdydd
Fel rhyw fath o Firi Haf.
Daeth rhai o Hollywood draw
I weld a fyddai modd cael mŵfi –
Catherine ac Anthony fel y sêr –
Am i'r ddau ddysgu'n rhwydd
Sut i siarad Morfileg.

121

A thyngwyd llw
Mai'r glesni hwn a wnaeth Cymru'n las,
Gan weiddi, 'Wales, Whales,
Wales, agi, Magi, agi, magu,
Agi Magi wedi magu
Morfilod o wlad sy'n cael
Eu godro'n orfoleddus i'r byd.'

Ac nid oes eisiau
Na thryfer na thrywanu,
Cans o dan y don, mae anadl hir
Un sy'n rhoi olew, llaeth a maeth
I wlad lle bu pyllau glo a chronfeydd dŵr.

A bydd y Ddraig Goch ar drai
Fel rhyw ddeinosor diystyr,
Ei gochni'n codi cywilydd
A'i dafod o fflam yn welw.

'Ylwch,' meddai'r gweision sifil,
'Cymaint yn well yw morfil
Sy'n rhoi inni ynni,
Ni raid edrych at y Dwyrain Canol rhagor;
Mae'n canol ni wrth ddwyrain Cymru.'

A bydd, fe fydd

Baner newydd sbon ac arni un morfil glaslwyd,

Yn ddelwedd newydd i wlad a ddaliwyd.

Yn gartre dros dro i'r godro beunyddiol.

MENNA ELFYN

CIWCYMBARS WOLVERHAMPTON

Gwnes ddarganfyddiad brawychus
a'm gadawodd yn gwbl syn;
mae ciwcymbars Wolverhampton
yn Gymreiciach na'r bobl ffor' hyn!

Darllenais i'r peth yn y papur,
cynhyrfais yn lân reit drwydda i.
Roedd y peth yno'n glir, mewn du a gwyn
a dyw'r *Sun* ddim yn un am ddeud c'lwydda.

Rhyw fodio'n ddiniwed yr oeddwn
rhwng pej thri a thudalen y bets
pan ddarllenais fod ein cyrff ni
'fath 'nunion â cemistri sets!

O'n i'n meddwl mai esgyrn a pherfedd
fu gen i tu mewn erioed,
nid rhyw *calcium potassium*
carbon a dŵr –
a haearn hyd yn oed.

Ie, rhywbeth fel dur ydi cariad pur
ond mae haearn go iawn gin bob dyn,
ac mae haearn ym mynwes pob dynes
a silicon ym mrest ambell un.
(Ond awn ni ddim ar ôl hynny rŵan.)

Er bod gennym dipyn o haearn
'dan ni 70 y cant yn ddŵr!
(Pam 'di'r dŵr ddim yn rhydu'r haearn?
dyw'r gwyddonwyr ddim yn siŵr.)

Ie, mae 70 y cant o bob un yn ddŵr.
Wel, dyna i chi ffaith!
Galwyni o Dryweryn wyf
yn slochian ar fy nhaith.

Nawr,
dyw'r bobol yn Bilston a Handsworth
ddim yn swnio fel Cymry, bid siŵr,
ond maen nhw'n yfed y dŵr o Dryweryn
ac maen nhw 70 y cant yn ddŵr!

Cymry pibell os nad Cymry pybyr
ydi'r rhain; mae'r cyfrifiad yn rong:
cans Cymry o ddŵr coch cyfa'
yw pob Leroy, pob Singh a phob Wong.

Mae deng miliwn o Gymry eraill
yn y Midlands; onid yw'n hen bryd
gwthio'r ffin yn ôl tua'r dwyrain
i gynnwys ein brodyr i gyd?

Basa'n ddiwedd ar broblem twristiaeth
gan y byddent yng Nghymru yn byw;
basa Powys yn estyn at Norfolk
a Gwynedd yn gorffen yn Crewe.

Brawdoliaeth fawr, yn darllen y *Sun*,
yn rhannu'r un gelyn ac eilun.
'Sdim ots gennyf i fod yn gydradd â'r Sais
. . . ond wna i ddim bod yn ail i lysieuyn.

Achos wedyn y daeth y dadrithiad.
Roedd y papur hefyd yn crybwyll
be sydd mewn llysiau a phethau byw eraill –
fel y ciwcymbar bondigrybwyll!

124

Er bod lot o ddŵr ynom ninnau,
mae gan giwcymbars 90 y cant!
Mae ciwcymbars Wolverhampton
yn Gymreiciach na ninnau a'n plant.

Felly os daw rhyw benbwl haerllug
a chyhoeddi yn dalog i gyd,
'Dwi'n fwy o Gymro na chditha,'
paid bygwth, 'Tisio stîd?'

Jest gwisga ryw wên fach wybodus,
dwed wrtho, 'Dyw hynny'n ddim byd –
mae ciwcymbars Wolverhampton
yn Gymreiciach na'r Cymry i gyd!'

IFOR AP GLYN

HANNER AMSER, Y FLWYDDYN 2000

Wel, mae'n hanner amser yn y gêm yma rhwng Cymru All Stars
ac England United. *Gadewch inni gael sylwadau cyn-reolwr
Cymru, Dewi Sant.*

Dewi . . .

Wel, roedd hwnnw'n fileniwm caled i ni.
Fe wnaethon ni rai camgymeriadau cynnar;
doedd Gwrtheyrn ddim yn ddewis da yn y gôl.
Mae bob amser yn eu gadael nhw mewn.

Aethon nhw ar y blaen yn gynnar,
ond ar y cyfan roedd ein hamddiffyn yn gryf,
yn enwedig y *centre half*, Rhodri Mawr.
Ac am chwarae'r rheol camsefyll,
roedd Hywel hefyd, ar y cyfan, yn Dda.

O ran y blaenwyr, cafodd Llewelyn gêm gymysg.
Mae ei ymroddiad yn dda, ond
mae'n tueddu i golli ei ben.

I fi, y *man of the match* hyd yn hyn
yw'n *midfield general*,
Glyndŵr –
am ddod â ni'n gyfartal.

Ond yn fuan wedyn roedden ni ar ei hôl hi eto'n syth.
Ergyd gan eu rhif saith nhw.
Ac wedyn ein tîm cyfan yn cael carden felen
a chael ein rhoi yn y llyfr glas
am ddefnyddio iaith anweddus.
Yr unig beth a'n cadwodd ni yn y gêm
oedd gwaith caled William Morgan yng nghanol cae,
ac wedyn ymosodiadau Gwynfor lawr yr asgell chwith,

a Saunders lawr yr asgell dde, yn rhoi'r cyfle i Big Ron gael
yr *equaliser* arall 'na jyst cyn hanner amser.
Trueni iddo gael ei hel o'r cae yn syth wedyn.

Yn yr ail hanner, hoffwn ein gweld ni'n chwarae gyda mwy
   o hyder.
Ac os oes angen, hoffwn i weld Arthur yn dod *off* y fainc.
Doedd y mil o flynyddoedd 'cynta' 'na ddim yn rhai da i ni.
Ond mae'n rhaid cofio:
mae'n gêm o ddau fileniwm,
a'r tro hwn, rhaid i *ni* fynd ar y blaen.

GRAHAME DAVIES

DAU GI BACH ...

Dau gi bach yn mynd i'r coed,
esgid newydd am bob troed,
mynd yn dawel, dawel megis,
gan mai'r sgidiau oedd *Hush Puppies*!

TUDUR DYLAN JONES

ROBIN GOCH

Robin goch ddaeth ar y rhiniog
I ofyn tamaid heb 'run geiniog,
Gan ddywedyd mor ysmala:
'Mae hi'n oer, mi ddaw yn eira.'

Dywedais innau'n hynod dirion:
'Cau dy big, y lembo gwirion!
Sut daw hi'n eira'r cythraul c'lwyddog,
A hithau'n haf hirfelyn tesog?'

A dyna blannu 'nhroed yn union
Mewn rhyw fan o dan ei gynffon,
Yna dwedyd yn ysmala:
'Mwynha dy siwrnai bach i Jeina!'

Ond bore heddiw, dyma ddeffro
A chael fy ngwely'n eira drosto.
Oer a b'rugog oeddwn innau,
A phib Onwy rhwng fy nghoesau . . .

Ie, Robin Goch ddaeth ar y rhiniog
I ofyn tamaid heb 'run geiniog,
O! Os daw acw dderyn diarth,
Dyro iddo stecsan anfarth.

TWM MORYS

LLEIDR

(Carcharwyd gŵr ar gyhuddiad o 'ddwyn' peli oedd wedi'u colli
mewn llynnoedd ar wahanol gyrsiau golff.)

O dan y llyn a'i thonnau
Fe gollwyd llawer pêl,
A'r gŵr a fu'n eu chwilio
Yn gorwedd yn y jêl.
Drwy ryw gyfreithiau ofer
Ac amal ergyd strae
Mae ef yn awr mewn dyfroedd
Sy'n ddyfnach, fel petae.

Pan fyddai'r glaw'n pistyllio
A'r gwynt yn chwythu'n gas,
A golffwyr gorau'r gwledydd
A'u hannel rywfaint mas,
Roedd ambell reg i'w chlywed
O enau'r glewa'n dod,
Ac ambell bêl yn disgyn
Mewn man na ddylai fod.

Ond pan f'ai'r hin yn dawel
Heb grychyn ar y don
Roedd gŵr yn bracso'r dyfroedd
Lan hyd ei wddwg bron,
A'i fysedd traed yn teimlo
Am beli yn y llaid,
A'u codi wrth y dwsin –
Gwerth ffortiwn, y mae'n rhaid.

Chi'r golffwyr sy'n dioddef
Clefydau'r *fade* a'r *hook*,
Daliwch i fwrw'r ffortiwn
I mewn i'r llyn, â lwc,
Mae'r gŵr sydd yn y carchar
Yn dal i weld, rwy'n siŵr,
Mewn breuddwyd eto'r peli
Fel perlau dan y dŵr.

DIC JONES

...A DYNA PAM MAE TYLWYTH TEG AR BEN COEDEN NADOLIG

Ro'dd hi'n fore oer o aeaf
A rhew ar draws y llyn,
Ro'dd Santa yn ei ogof,
'N whythu'i drwyn yn 'i farf mawr gwyn.

'Nefi blŵ!' medde Santa, 'Mae'r gwres i gyd bant a
Mae'r Dolig yn dyfod yn nes.
Mae'r tywydd yn rhewi – mae'n rhy oer i mi boeri –
Peidied neb sôn am fwncïod pres!'

Ro'dd Rudolf y Coch yn nabod glaw drud,
(*Rudolf the Red knows rain dear*)
Un o geirw gore y sir;
Ro'dd yr eira mor ddwfn ac mor rewllyd o oer
Ro'dd e'n falch fod 'da fe goese hir.

Ro'dd y dylwythen deg yn dawnsio'n hardd
O gwmpas dyn eira bach neis
O'dd yn dishgwl yn debyg i'n ffrind Huw Ceredig
Ond do'dd e ddim hanner 'i seis.

Ac yn sydyn galwodd Santa
I'r dylwythen deca'n y byd
I ddod â choed Nadolig,
'Jest cant,' medde fe, 'dyna'i gyd.'

A bant â hi'r dylwythen deg
I'r goedwig ger y ddôl,
A thorrodd gant o'r coed i lawr
Gan adael jest un fach ar ôl.

'O, biti,' meddai'r dylwythen deg,
'Fe af â thithau'n ôl;
Bydd yr ogof yn llawn, sylwith neb – bydd di'n iawn –
A smo ni'n mynd i ddeud – dim byd!'

OND, fe gowntodd Santa'r coed i gyd
Ac fe wedodd mai cant oedd e'n moyn.
'Ond ble alla i roi yr un sydd ar ôl?'
Meddai'r fechan mewn syndod a phoen.

Ac fe wedodd Santa wrthi
Ble i roi y goeden bren.
A dyna i chi pam mae Crismas Trîs
Â thylwyth teg ar 'u pen!

DEWI PWS

STORI'R GENI 2

'Rôl crwydro o Narberth roedd Joseff am aur
i brynu o leia' un welly'n y gwair,
ac er nad oedd lle yn y Beti, rôl sbel
roedd lle yn y Starbucks i fe a Manuel,
ac yno fe anwyd y caban bach, gwych,
a'i roi yn y mellt gyda'r rhacsyn a'r brych.

Ar gefn eu cwningod fe ddaeth tri gŵr noeth,
gan ddilyn y seiren o'r dwyrain pell, poeth,
(ac enwau y noethion odd Mair, Myrr a Phus –
wel dyna yr enwau a gawsom gan Miss!)
A daethant i Starbucks 'rôl teithio'r holl fyd
a rhoi eu harchebion i'r caban mewn crud.

Ym Methlem Jemeima yr oedd yn y nos
fogeiliaid yn hwylio eu blaidd ar y rhos,
a chamel yr Arglwydd a safodd gerllaw
a darllen y news am lawenydd heb fraw:
'Mae caban 'di eni, na fyddwch yn drist –
ewch draw at y press-up i weld Bessie Grist!'

CERI WYN JONES

134

NADOLIG NEIDAR . . .

Pwy fyddai'n tharff droth y Dolig
Pan fo'r tunthyl yn thgleinio'n y coed,
Pa fo'r thiopa yn llawn o brethanta'
A'r eira yn drwchuth dan droed?

Bryd hynny, mae'n anodd i neidar
Thy'n foel ac yn hollol ddi-flew
I thglefrio ei ffordd lawr i'r thiopa'
Gyda'i bola hi'n thtyc yn y rhew.

Pob dydd lawr i thyrjyri'r doctor
Rwy'n thleifio yn tharrug fy myd,
Mae'r barrug yn beryg – dwi'n diodda
Gan lothgeira dair troedfedd o hyd!

Eleni, pan ddaw Thanta drwy'r thimdde
Bydd nodyn o dan y minth peith,
Yn gofyn 'ddo gofio am neidar
Thydd yn thythu a'n haeddu thyrpreith.

Mor braf fyddai deffro ben bore
A Thiôn wedi cofio'r tharff fach,
Gan adael y prethant bach gora
Na roddodd erioed yn ei thach.

Tra bo pawb yn y byd wrthi'n gwagio
Pob hothan a hongiwyd droth noth,
Mi lithrwn yn haputh i lenwi
Un o thannau gwlân gwag Thanta Cloth.

TONY LLEWELYN

MELL

Roedd bachan o blwy Ystradfellte
Wrth geisio dweud 's' yn dweud 'll' 'te;
   Fe briododd â Llaellnell
   O ardal Cwmllynfell
Na fedrai ddweud 'll' − 'na chi fell 'te.

ANEURIN JENKINS-JONES

'NID OES "J" YN YR IAITH GYMRAEG'

Pan oeddwn yn llanc yn y Coleg gynt
    Dywedodd rhyw ysgolhaig,
'Yn unol â phriod-ddulliau'r iaith,
    Nid oes "J" yn yr iaith Gymraeg.'
Anfonais ar unwaith at Iac a Iên;
    Sgrifennais at Iim a Io, –
'Mae "J" ar ddechrau eich enwau oll
    'Wnaiff rhywbeth fel hyn ddim o'r tro!'

'Iemeima Iên, Iemeima Iên,
    Rwy'n dy garu, ni wn paham;
Ond hyn a wn, mae fy weien fach
    Mor felys â llwyed o iam!'
Ond a oes raid im ei hannerch hi
    Fel yma? Yn wir, mae'n beth syn,
Waeth, wyddoch chi beth, myn iawl-i, bois,
    Nid iôc yw rhywbeth fel hyn!

A beth os byddwch yn llenor mawr
    A'ch enw yn cynnwys y 'J',
A chwithau'n darlithio ar deithi'r iaith, –
    Mae hi braidd yn lletchwith, ynte?
Mae'n rhaid wrth ffydd yng Ngholeg Caerdydd, –
    Maent wrthi y funud hon:
Rhai yn cael darlith gan W. Iê.
    A'r gweddill gan Ruffydd Ion.

Ond am y Brifysgol mae hi, rwy'n siŵr,
    Yn ddiogel tra fyddom ni byw.
Does neb drwy'r lle a fentriff roi 'J'
    Tra fo Ienkin Iames wrth y llyw.

Sut gebyst digwyddodd fath beth i'r hen iaith?
    Mae rhywbeth, yn sicir, o le!
Pan lyncodd y morfil 'r hen Iona gynt
    O tybed a gadwodd e'r 'J'?

IDWAL JONES

LIMRIG

Pan oeddwn ar wyliau eleni
Mi ges hyn o gerydd gan ieithgi:
   'Na roddwch arddodiad
   Ar ddiwedd dywediad.'
Atebais mewn eiliad 'Sa i'n mynd i.'

EMYR DAVIES

CAMDREIGLO

Mae gwallau treigliadau
    Yn boen a phla,
Ond mae'r gwall yn gywir
    yn 'ladi da'.

JACK H. DAVIES A D. JACOB DAVIES

ODLIADUR

Mewn ocsiwn mi brynais odliadur
Er mwyn cael cystadlu mewn talwrn,
   Mae mewn cyflwr go dda
   Heb gael lot o iws
Ond dwi ddim wedi 'ddarllen e eto.

KEN GRIFFITHS

ENGLYNION

Mae englynion fatha sgampi –
'sneb cweit yn siŵr be ydyn nhw,
ac fel arfer ti'n difaru gofyn amdanyn nhw ...
ac mae unrhywun sy'n gallu
esbonio 'that ti be ydyn nhw
tua'r un mor ddiddorol â
dyn boring pan ti ar y ffordd i'r tŷ bach,
CSE mewn bywydeg,
aelod o'r SDP,
neu'r rhifyn cyfredol o *Sbec*.

Mae lot yn dod ar eu traws nhw yn yr ysgol
... ynghyd â bwlis,
ogla cinio mewn lab cem,
a dwylo pawb arall i fyny
pan oedd gynno chdi ddim clem.

Dy'n nhw ddim yn dysgu petha defnyddiol i
chi yn
yr ysgol
fel:
sut mae daffodd bra;
ond maen nhw *yn* dysgu chi
sut mae datgymalu englyn,
Tra defnyddiol!
Be ti haws gwbod sut mae stripio'r
carbyretor,
pan be tisio go *iawn*
ydi gwersi gyrru ...
mewn englyn unodl GTi!

Dyw englynion ddim fatha *ffrwchnedd* ...
mae ffrwchnedd wastad yn cael laffs ...
yn enwedig '*stand up*' ffrwchnedd.

Dyw englynion ddim fatha cŵn.
Wnaiff englyn ddim magu chwain,
na nôl dy slipars newydd chwaith,
dim ond deud 'that ti pa mor dda
oedd yr hen rai.

Dyw englynion ddim fatha ashtrês;
maen nhw'n gallu dal petha llachar
yn ogystal â llwch,
a dylai fod un ymhob parlwr
rhag ofn fod bardd yn galw.

Achos mae englynion yn hen –
rhyw fath o '*bouncing cheques*' ein llên;
maen nhw fel cyri neithiwr, yn dal i ddod nôl
ac ar ôl pymtheg can mlynedd –
'di hynny'm yn ffôl.

Mae sgwennu'r diawlad
yn dal llawn cymaint o ffag . . .
ond bydd hi'n wahanol pan gawn ni
englynion '*boil in the bag*'.

IFOR AP GLYN

COLLWR GWAEL

Fe gollodd ar yr englyn,
Y faled, cân a'r emyn,
I'r beirniad fe gynigiodd ffeit,
Chi'n reit – fe gollodd wedyn.

EMYR PENRHIW

CHWARAE'R FFŴL

Prins Charles yn ennill y Gadair,
Emyr Wyn yn dawnsio *Swan Lake*;
Magi Post yn priodi Sylvester Stallone,
Arthur Daley ddim ar y mêc.

Wythnos o 'Stondin Sulwyn'
A phawb yn siarad sens;
Alan Williams Caerfyrddin yn dysgu Chinese
'For the sake of our English friends'.

John Major yn dynwared Mike Yarwood
Peter Hughes Griffiths a Jeifin yn fêts,
A Lassie y cael ei hethol
Fel Arlywydd yr United States.

Huw Eic yn sylwebu ar socer,
Gravell yn syporto Caerdydd;
A Nelson Mandela yn arwain
Yr ymgyrch tros Gymru rydd.

Lyn Ebenezer â thomen o wallt
Yn cael ei *knighthood* yn Llundain 'da'r Cwîn;
A dawns y blode'n y Steddfod
Yn cael 'i pherfformio gan Torville a Dean.

Magi Thatcher yn saff yn y jael, pwr dab,
Am beidio a thalu'r *poll tax*;
A TJ yn canu'n y Deri Arms
Wedi'i dal hi'n ufflon racs.

O'r diwedd mae Noddy a Big Ears
Yn mynd i'r gwely ar wahân,
Ond mae'r stori'n mynd rownd bod Siwperted
Yn cysgu 'da'r Smyrffs a Sam Tân!

Aled Jones yn canu bâs,
Margaret 'n gwneud y twist;
A 'Chefn Gwlad' mewn uffach o stâd –
Mae Dai Jones yn ôl ar y Piste.

Elinor Jones yn sics ffwt ffeif,
Sir Fôn yn cael hôm rŵl –
Ai gwir y geirie hyn i gyd?
Na, jest fi yn chwarae'r ffŵl!

DEWI PWS

CYNULLEIDFA STIWDIO DELEDU

Yn rhifyn Ionawr chwe deg tri o'r cylchgrawn crand *Show Biz*
roedd cais am gynulleidfa ar gyfer rhaglen gwis:
'Disgwylir i'r ymgeiswyr fod dros eu deugain oed,
â dwy law ac yn dallt Cymraeg. Ymgeisiwch yn ddi-oed.'

Ysgubol fu'r ymateb i'r hysbyseb fechan hon:
roedd pob gwraig tŷ yng Nghymru isio mynd ar teli, bron.
O'r llu ymgeiswyr roedd pob un, drwy gyd-ddigwyddiad
     mawr,
yn aelod triw o'r W.I. neu ynteu'n Ferch y Wawr.

Pendronwyd a phendronwyd mwy cyn llunio rhestr fer,
roedd dewis cynulleidfa dda yn sialens ac yn her
ond o'r diwedd pigwyd trigain o rai hwyliog ar y naw,
a rhai da am glapio (dyna pam roedd angen cael dwy law).

Roedd ymddangosiad cynta'r gynulleidfa'n llwyddiant mawr,
ac yn hwb i'r rhaglen gwis (nad wyf yn cofio'i henw nawr):
a'u cadw ar staff y Bîb a wnaed 'rôl gweld beth oedd eu gwerth,
a chynulleidfa chwe deg tri aeth 'mlaen o nerth i nerth

i 'Raglen Hywel Gwynfryn', 'Cistiau Cudd' a 'Siôn a Siân',
'Ras Sgwâr', 'Pwy Fase'n Meddwl', 'Taro Tant',
     'Mae gen i Gân',
'Dechrau Canu, Dechrau Canmol', 'Margaret Williams',
     'Bwrlwm Bro',
'Twyllo'r Teulu', 'Taro Bargen', 'Elinor', a rhagor 'to,
sef 'Rosalind a Myrddin', 'Gair am Air', 'Llun ar y Sgrîn',
'Gair i Gall' a 'Pwy sy'n Perthyn' a hyd yn oed 'Sport Scene'
Pob rhaglen o bafiliwn yr Eisteddfod bob mis Awst,
a rhyw raglen ddogfen boring welwyd un nos Sul am Faust.

147

A heddiw wele'r gynulleidfa'n dal i wneud eu gwaith,
a'r iengaf un ohonynt erbyn hyn yn saith deg saith:
Mae'r trigain lawr i hanner cant ac ambell sedd yn wag –
bu farw tair o ddiffyg traul 'rôl darllen 'Arch ym Mhrâg'.

Ond os yw rhai o'r merched wedi mynd o'r fuchedd hon,
na phoenwch! Can's ffurfiasant gynulleidfa newydd sbon.

Ac erbyn hyn mae'r nefoedd, a fu gynt yn fôr o gân,
yn llawn sŵn curo dwylo pan ddarlledir 'Siôn a Siân'.

ANHYSBYS

148

GEIRIAU OLA ENWOG

– 'Dyw e ddim yn *edrych* i fod e'n cnoi;'
– 'Ffit?? ddangosai iti *ffit* gwboi;'
– 'A'i jest i bipo dros y graig;'
– 'Wy'n cofio bod yn y coleg 'dach gwraig;'
– 'Wrth gwrs bo fi'n deall popeth am drydan;'
– 'Uffach cariad, 'na beth *yw* pen-ôl llydan;'
– 'Hei del, sut hoffet ti af'el yn hon?;'
– '*I say Taffy* – *how did Wales get on?*'
– 'A beth 'ma'r botwm bach coch ma'n gwneud . . . ?'
– 'I fod yn onest, o'dd dy whâr di'n well reid . . .;'
– 'Jest un bach arall cyn stop tap . . .;'
– 'Meic Tyson, y tosser – ma' dy focso di'n crap;'
– 'Wy 'di nofio ers blynydde – af i reit rownd y bae;'
– 'Mae honna'n debyg i wili – ond jawl – mae'n lot llai . . .'

DEWI PWS

149